LE TARTUFFE
OU L'IMPOSTEUR

COMÉDIE

TEXTE INTÉGRAL

Texte conforme à l'édition des Grands Écrivains de la France.

Notes explicatives, questionnaires, bilans, documents et parcours thématique

établis par

Bernard COMBEAUD,
Professeur agrégé des Lettres
en classes préparatoires.

Classiques Hachette

Couverture : Laurent Carré

ISBN : 978-2-01-169178-1
www.hachette-education.com

SOMMAIRE

5 février 1669, Molière, quarante-sept ans, malade, jouera dans un instant Orgon revenant de sa campagne. Au Palais-Royal, le brouhaha s'enfle. Jamais on n'a vu pareille presse. Molière s'impatiente : quelle bataille, commencée cinq ans plus tôt, pour que ce Tartuffe enfin soit autorisé ! Nul encore n'avait engagé la comédie contre un vice d'État : l'intrigue sous le masque de la dévotion... Périlleuse audace ! Molière fuit le regard d'Armande, sa trop jeune épouse : ce soir, la « coquette » de la troupe joue Elmire ; lui sera sous la table... Il tousse, et songe. L'Illustre Théâtre est loin. Que d'ennemis depuis qu'il s'est imposé à Paris et jouit de la faveur du roi ! À Versailles, en 1664, pour les Plaisirs de l'Île enchantée, il avait donné une ébauche de Tartuffe. Pressé par le président Lamoignon, par l'archevêque Péréfixe, « frères » éminents du parti dévot, le roi avait dû interdire les représentations publiques. Et la « cabale•» de se déchaîner. Molière avait glissé un premier « Placet » : peine perdue ! Engagé dans des négociations délicates avec Rome, le roi ne pouvait reprendre sa décision ... Cependant, rien de neuf à jouer ! Il avait improvisé un second rôle d'imposteur : à Tartuffe déposant le masque succédait Dom Juan en train de le mettre... Puis il s'était appliqué au Misanthrope. À nouveau il visait l'hypocrisie, celle des mondains cette fois. Cependant, il s'obstinait. Au décès de la dévote mère du roi, il avait cru pouvoir donner sa pièce. Le 5 août 1667, nouveau titre : L'Imposteur. Le personnage, devenu « Panulphe », n'est plus d'Église, ne porte plus « petit collet »... Inutiles précautions : le roi assiège Lille, les dévots en profitent. Molière se revoit arrêtant Lamoignon au passage : sa pièce dénonçait les faux dévots, ne défendait-elle pas la religion ? Ce magistrat l'écoute, puis, l'air benoît : « Monsieur, il est près de midi. Je manquerais ma messe si je m'arrêtais plus longtemps. » La répartie n'avait pas été perdue : « Il est, Monsieur, trois heures et demie :/Certain devoir pieux me demande là haut... », mais il était encore battu ! Pire : cette fois, l'archevêque proscrivait jusqu'aux représentations privées ! Désespéré, il avait présenté sans plus d'effet un second placet. Le roi négociait toujours avec le Saint-Siège... Mais la « Paix de l'Église » vient d'être conclue : Rome ne soutient plus les dévots. Les « frères » désarmés, l'interdiction levée, sous sa perruque qui tressaute, Orgon tousse, mais jubile : ce soir, on donne Tartuffe : rit bien qui rit le dernier.

LE TARTUFFE D'HIER

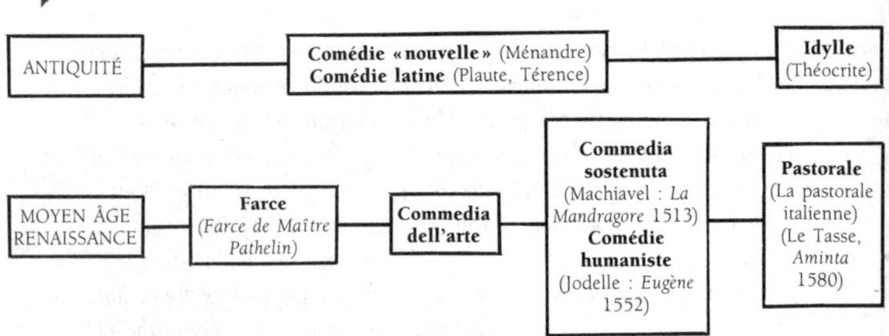

■ **PREMIÈRE GÉNÉRATION, GOÛT DU ROMANESQUE**

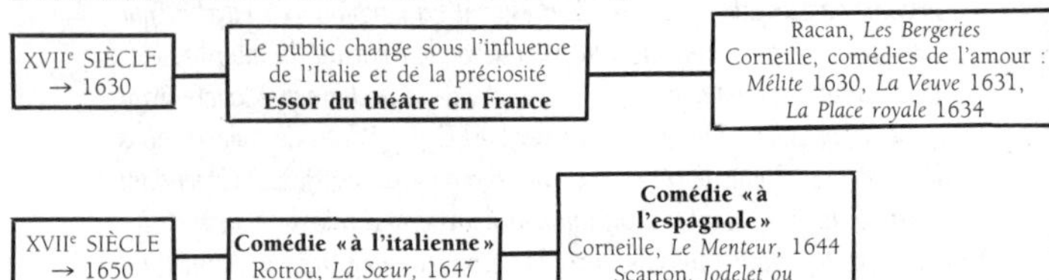

■ **RETOUR AU RIRE FRANC, « NATUREL », SATIRE DU « SIÈCLE OÙ NOUS SOMMES »**

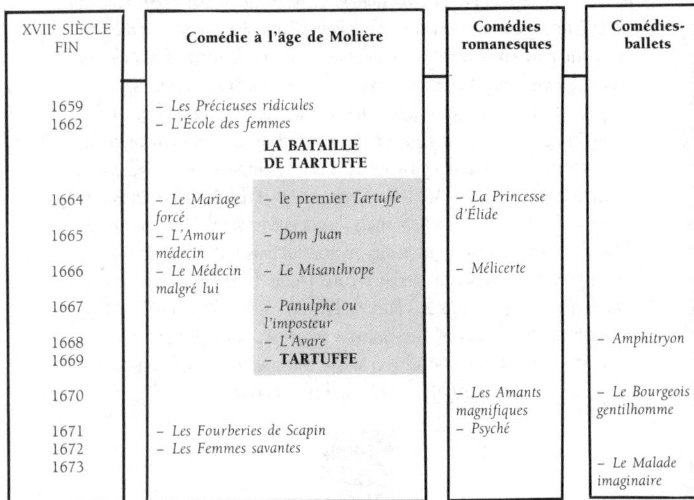

La « cabale des dévots » s'évanouit dans les limbes de l'histoire. Pourtant, à la Comédie-Française, Tartuffe *demeure la pièce la plus jouée, et le succès s'amplifie depuis la guerre. D'où vient que* Tartuffe *ne cesse de faire sens ? Molière n'a pas lésiné sur le sel comique. Mais* Tartuffe *fait époque dans l'histoire de la comédie parce que jamais encore l'héritière de la farce ne s'était engagée si avant dans les luttes politiques. La leçon demeure stupéfiante : la tartufferie n'est pas un vice des mœurs ; née de l'ambition, elle est un mal politique : les ambitieux flattent toujours l'opinion en singeant ses préjugés. Les mots ont changé, non les méthodes. Pour « diriger » les esprits, nos Tartuffes forment de modernes « cabales », les « groupes de pression ». Leurs associations prônent des valeurs que tous révèrent. En sous main, elles harcèlent l'État. Par le chantage ou la délation, les hypocrites extorquent la complicité du pouvoir, évincent leurs rivaux, réduisent les gêneurs. Des carrières, des fortunes, s'érigent sous le manteau des valeurs « sacrées ». Malheur à qui dénoncera les bons apôtres ! Dès longtemps ces initiés ont pénétré certains organes d'opinion : la vindicte en sera implacablement « dirigée » contre l'empêcheur de tartuffier en rond. La Troisième République eut ses dévots francs-maçons. Sous l'occupation, les dévots de Pétain dénonçaient les Juifs et s'appropriaient dévotement leurs biens. L'épuration vit des dévots de la Résistance... Gaulliste sous de Gaulle, Tartuffe serait écologiste si tel était le gouvernement... Car la tartufferie se veut une religion. Dans toute société, il est « des choses qu'on révère ». Mahomet, Marx, la Nature, les Droits de l'Homme : c'est de tels* tabous *que les tartuffes, « de traîtresse manière », savent « se faire un manteau » (v. 1886). Nos préjugés s'organisent en « idéologies ». Comme la fausse religion, ces dogmes laïques prétendent faire notre salut, et ont leurs faux dévots, dont les dupes sont légion. Tartuffe* parasite *la famille d'Orgon : il se gorge de ses biens, mais surtout, faussant les mots, brouille la communication entre ses membres. De même, les idéologies totalitaires engourdissent les consciences sous la « langue de bois ». Molière a le premier démonté la machine : s'étonnera-t-on de l'actualité de sa pièce ? Il n'est pas d'âge sans « faux dévots ». Les nôtres surpassant ceux des siècles en imposture,* Tartuffe *n'a jamais tant senti le soufre.*

LE TARTVFFE

LE TARTVFFE, OV L'IMPOSTEVR,

COMEDIE.

PAR I. B. P. DE MOLIERE.

Imprimé aux despens de l'Autheur; & se vend

A PARIS,

Chez IEAN RIBOV, au Palais, vis-à-vis la Porte de l'Eglise de la Sainte Chapelle, à l'Image S. Loüis.

M. DC. LXIX.

AVEC PRIVILEGE DV ROY.

PREMIER PLACET[1]

PRÉSENTÉ AU ROI, SUR LA COMÉDIE DU *TARTUFFE*

(1664)

SIRE,

Le devoir de la comédie étant de corriger les hommes en les divertissant[2], j'ai cru que, dans l'emploi[3] où je me trouve, je n'avais rien de mieux à faire que d'attaquer par des peintures ridicules les vices de mon siècle ; et comme l'hypocrisie sans doute en est un des plus en usage, des plus incommodes et des plus dangereux, j'avais eu, Sire, la pensée que je ne rendrais pas un petit service à tous les honnêtes gens de votre royaume, si je faisais une comédie qui décriât les hypocrites, et mît en vue, comme il faut, toutes les grimaces étudiées de ces gens de bien à outrance, toutes les friponneries couvertes de ces faux-monnayeurs en dévotion, qui veulent attraper les hommes avec un zèle contrefait et une charité sophistique[4].

Je l'ai faite, Sire, cette comédie, avec tout le soin, comme je crois, et toutes les circonspections que pouvait demander la délicatesse de la matière ; et pour mieux conserver l'estime et le respect qu'on doit aux vrais dévots, j'en ai distingué le plus que j'ai pu le caractère que j'avais à toucher[5] ; je n'ai point laissé d'équivoque, j'ai ôté ce qui pouvait confondre le bien avec le mal, et ne me suis servi, dans cette peinture, que des couleurs expresses et des traits essentiels qui font reconnaître d'abord un véritable et franc hypocrite.

Cependant toutes mes précautions ont été inutiles. On a profité, Sire, de la délicatesse de votre âme sur les matières

---

1. *placet* : (requête) présenté au roi en août 1664, en réponse au pamphlet de l'abbé Pierre Roullé : *Le Roi glorieux au monde.*
2. *corriger les hommes en les divertissant* : *ridendo castigare mores,* tel est le principe qu'adopte Molière. Il était celui de la comédie depuis les Latins, et constituait la devise de la *commedia dell'arte.*
3. *emploi* : Molière occupe en effet un emploi officiel. Sa troupe ne sera Troupe du Roi qu'un an plus tard, mais elle est déjà Troupe de Monsieur (c'est-à-dire du frère du roi), et Molière a participé aux plaisirs royaux de *L'Île enchantée.*
4. *sophistique* : captieuse, trompeuse.
5. *toucher* : peindre.

de religion, et l'on a su vous prendre par l'endroit seul que[1] vous êtes prenable, je veux dire par le respect des choses saintes. Les Tartuffes, sous main, ont eu l'adresse de trouver grâce auprès de Votre Majesté, et les originaux, enfin, ont fait supprimer la copie, quelque innocente qu'elle fût, et quelque ressemblante qu'on la trouvât.

Bien que ce m'ait été un coup sensible que la suppression de cet ouvrage, mon malheur pourtant était adouci par la manière dont Votre Majesté s'était expliquée sur ce sujet ; et j'ai cru, Sire, qu'elle m'ôtait tout lieu de me plaindre, ayant eu la bonté de déclarer qu'elle ne trouvait rien à dire dans cette comédie qu'elle me défendait de produire en public.

Mais malgré cette glorieuse déclaration du plus grand roi du monde et du plus éclairé, malgré l'approbation encore de monsieur le légat[2] et de la plus grande partie de messieurs les prélats, qui tous, dans des lectures particulières que je leur ai faites de mon ouvrage, se sont trouvés d'accord avec les sentiments de Votre Majesté, malgré tout cela, dis-je, on voit un livre composé par le curé de ...[3], qui donne hautement un démenti à tous ces augustes témoignages. Votre Majesté a beau dire, et monsieur le légat et messieurs les prélats ont beau donner leur jugement : ma comédie, sans l'avoir vue, est diabolique, et diabolique mon cerveau ; je suis un démon vêtu de chair et habillé en homme, un libertin, un impie digne d'un supplice exemplaire. Ce n'est pas assez que le feu expie en public mon offense, j'en serais quitte à trop bon marché : le zèle charitable de ce galant homme de bien n'a garde de demeurer là : il ne veut point que j'aie de miséricorde auprès de Dieu, il veut absolument que je sois damné, c'est une affaire résolue.

Ce livre, Sire, a été présenté à Votre Majesté ; et sans doute elle juge bien elle-même combien il m'est fâcheux de me voir exposé tous les jours aux insultes de ces messieurs ; quel sort me feront dans le monde de telles calomnies, s'il faut qu'elles soient tolérées, et quel intérêt j'ai enfin à me

1. *que* : par où.
2. *légat* : ambassadeur du pape, le cardinal Chigi, auquel Molière avait lu sa pièce, en août, à Fontainebleau.
3. *le curé de...* : de la paroisse Saint-Barthélemy, Pierre Roullé.

purger[1] de son imposture et à faire voir au public que ma comédie n'est rien moins que ce qu'on veut qu'elle soit. Je ne dirai point, Sire, ce que j'avais à demander pour ma réputation, et pour justifier à tout le monde l'innocence de mon ouvrage : les rois éclairés comme vous n'ont pas besoin qu'on leur marque ce qu'on souhaite ; ils voient, comme Dieu, ce qu'il nous faut, et savent mieux que nous ce qu'ils nous doivent accorder. Il me suffit de mettre mes intérêts entre les mains de Votre Majesté, et j'attends d'elle avec respect tout ce qu'il lui plaira d'ordonner là-dessus.

SECOND PLACET[2]

PRÉSENTÉ AU ROI, DANS SON CAMP DEVANT LA VILLE DE LILLE EN FLANDRE

(1667)

SIRE,

C'est une chose bien téméraire à moi que de venir importuner un grand monarque au milieu de ses glorieuses conquêtes ; mais, dans l'état où je me vois, où trouver, Sire, une protection qu'[3]au lieu où je la viens chercher ? et qui puis-je solliciter, contre l'autorité de la puissance[4], qui m'accable, que la source de la puissance et de l'autorité, que le juste dispensateur des ordres absolus, que le souverain juge et le maître de toutes choses ?

Ma comédie, Sire, n'a pu jouir ici des bontés de Votre Majesté. En vain je l'ai produite sous le titre de *L'Imposteur*, et déguisé le personnage sous l'ajustement d'un homme du monde ; j'ai eu beau lui donner un petit chapeau, de grands

1. *purger* : innocenter.
2. *second placet* : présenté au roi par La Grange et La Thorillière, acteurs de la troupe de Molière, en août 1667, lors du siège de Lille, après l'interdiction du second *Tartuffe, Panulphe ou l'Imposteur*.
3. *qu'* : sinon.
4. *puissance* : celle de Lamoignon, président du Parlement de Paris et membre de la Compagnie du Saint-Sacrement.

cheveux, un grand collet[1], une épée, et des dentelles sur tout l'habit, mettre en plusieurs endroits des adoucissements, et retrancher avec soin tout ce que j'ai jugé capable de fournir l'ombre d'un prétexte aux célèbres originaux du portrait que je voulais faire : tout cela n'a de rien servi. La cabale[2] s'est réveillée aux simples conjectures qu'ils ont pu avoir de la chose. Ils ont trouvé moyen de surprendre des esprits qui, dans toute autre matière, font une haute profession de ne se point laisser surprendre. Ma comédie n'a pas plus tôt paru, qu'elle s'est vue foudroyée par le coup d'un pouvoir[3] qui doit imposer du respect ; et tout ce que j'ai pu faire en cette rencontre, pour me sauver moi-même de l'éclat de cette tempête, c'est de dire que Votre Majesté avait eu la bonté de m'en permettre la représentation, et que je n'avais pas cru qu'il fût besoin de demander cette permission à d'autres, puisqu'il n'y avait qu'elle seule qui me l'eût défendue.

Je ne doute point, Sire, que les gens que je peins dans ma comédie ne remuent bien des ressorts auprès de Votre Majesté, et ne jettent dans leur parti, comme ils ont déjà fait, de véritables gens de bien, qui sont d'autant plus prompts à se laisser tromper, qu'ils jugent d'autrui par eux-mêmes. Ils ont l'art de donner de belles couleurs à toutes leurs intentions ; quelque mine qu'ils fassent, ce n'est point du tout l'intérêt de Dieu qui les peut émouvoir ; ils l'ont assez montré dans les comédies qu'ils ont souffert qu'on ait jouées tant de fois en public sans en dire le moindre mot. Celles-là n'attaquaient que la piété et la religion, dont ils se soucient fort peu ; mais celle-ci les attaque et les joue eux-mêmes, et c'est ce qu'ils ne peuvent souffrir. Ils ne

1. *un grand collet* : les clercs (gens d'Église, qui n'avaient pas reçu l'ordination ou prononcé des vœux complets) se reconnaissaient au port du « petit collet ». Panulphe n'est donc plus un homme d'Église, mais un homme du monde, comme en témoignent les autres accessoires de son nouveau costume : grands cheveux, épée, dentelles.

2. *cabale* : la Compagnie du Saint-Sacrement, œuvrant à la manière d'une faction politique secrète.

3. *pouvoir* : celui de Beaumont de Péréfixe, archevêque de Paris et ancien précepteur du roi.

sauraient me pardonner de dévoiler leurs impostures aux yeux de tout le monde. Et sans doute on ne manquera pas de dire à Votre Majesté que chacun s'est scandalisé de ma comédie. Mais la vérité pure, Sire, c'est que tout Paris ne s'est scandalisé que de la défense qu'on en a faite, que les plus scrupuleux en ont trouvé la représentation profitable, et qu'on s'est étonné que des personnes d'une probité si connue aient eu une si grande déférence pour des gens qui devraient être l'horreur de tout le monde et sont si opposés à la véritable piété dont elles font profession.

J'attends avec respect l'arrêt que Votre Majesté daignera prononcer sur cette matière ; mais il est très assuré, Sire, qu'il ne faut plus que je songe à faire des comédies si les Tartuffes ont l'avantage, qu'ils prendront droit par là de me persécuter plus que jamais, et voudront trouver à redire aux choses les plus innocentes qui pourront sortir de ma plume. Daignent vos bontés, Sire, me donner une protection contre leur rage envenimée ; et puissé-je, au retour d'une campagne si glorieuse, délasser Votre Majesté des fatigues de ses conquêtes, lui donner d'innocents plaisirs après de si nobles travaux, et faire rire le monarque qui fait trembler toute l'Europe !

TROISIÈME PLACET[1]
PRÉSENTÉ AU ROI
(1669)

SIRE,

Un fort honnête médecin[2], dont j'ai l'honneur d'être le malade, me promet et veut s'obliger par-devant notaires de me faire vivre encore trente années, si je puis lui obtenir

1. *troisième placet* : présenté au roi le 5 février 1669. *Tartuffe* vient enfin d'être joué. C'est un placet de triomphe et de remerciement, formulé avec humour sous la forme d'une demande de canonicat.
2. *médecin* : M. de Mauvillain, filleul de Richelieu et ancien doyen de la Faculté, en qui Molière avait grande confiance – une fois n'est pas coutume ! C'était pour son fils que Molière demandait le canonicat.

une grâce de Votre Majesté. Je lui ai dit, sur sa promesse, que je ne lui demandais pas tant, et que je serais satisfait de lui pourvu qu'il s'obligeât de ne me point tuer. Cette grâce, Sire, est un canonicat de votre chapelle royale de Vincennes, vacant par la mort de...

Oserais-je demander encore cette grâce à Votre Majesté, le propre jour de la grande résurrection de *Tartuffe*, ressuscité par vos bontés ? Je suis, par cette première faveur, réconcilié avec les dévots ; et je le serais, par cette seconde, avec les médecins. C'est pour moi sans doute trop de grâces à la fois ; mais peut-être n'en est-ce pas trop pour votre Majesté ; et j'attends, avec un peu d'espérance respectueuse, la réponse de mon placet.

« Les Plaisirs de l'Île enchantée », gravure d'Israël Silvestre (1664).

PRÉFACE
(1669)

Voici une comédie dont on a fait beaucoup de bruit, qui a été longtemps persécutée ; et les gens qu'elle joue ont bien fait voir qu'ils étaient plus puissants en France que tous ceux que j'ai joués jusques ici. Les marquis, les précieuses, les cocus et les médecins ont souffert doucement[1] qu'on les ait représentés, et ils ont fait semblant de se divertir, avec tout le monde, des peintures que l'on a faites d'eux ; mais les hypocrites n'ont point entendu raillerie ; ils se sont effarouchés d'abord, et ont trouvé étrange que j'eusse la hardiesse de jouer leurs grimaces, et de vouloir décrier un métier dont tant d'honnêtes gens se mêlent. C'est un crime qu'ils ne sauraient me pardonner ; et ils se sont tous armés contre ma comédie avec une fureur épouvantable. Ils n'ont eu garde de l'attaquer par le côté qui les a blessés ; ils sont trop politiques pour cela, et savent trop bien vivre pour découvrir le fond de leur âme. Suivant leur louable coutume, ils ont couvert leurs intérêts de la cause de Dieu ; et *Le Tartuffe,* dans leur bouche, est une pièce qui offense la piété. Elle est, d'un bout à l'autre, pleine d'abominations, et l'on n'y trouve rien qui ne mérite le feu. Toutes les syllabes en sont impies ; les gestes même y sont criminels ; et le moindre coup d'œil, le moindre branlement de tête, le moindre pas à droite ou à gauche, y cache des mystères qu'ils trouvent moyen d'expliquer à mon désavantage. J'ai eu beau la soumettre aux lumières de mes amis, et à la censure de tout le monde : les corrections que j'ai pu faire, le jugement du Roi et de la Reine, qui l'ont vue, l'approbation des grands princes[2] et de messieurs les ministres, qui l'ont honorée publiquement de leur présence, le témoignage des gens de bien, qui l'ont trouvée profitable, tout cela n'a de rien servi. Ils n'en veulent point démordre ; et tous les jours encore, ils font crier en public des zélés

---

1. *doucement* : sans s'indigner.
2. *grands princes* : Monsieur, frère du roi, le prince de Condé, le duc d'Enghien.

indiscrets[1], qui me disent des injures pieusement et me damnent par charité.
Je me soucierais fort peu de tout ce qu'ils peuvent dire, n'était l'artifice qu'ils ont de me faire des ennemis que je respecte, et de jeter dans leur parti de véritables gens de biens, dont ils préviennent la bonne foi, et qui, par la chaleur qu'ils ont pour les intérêts du Ciel, sont faciles à recevoir[2] les impressions qu'on veut leur donner. Voilà ce qui m'oblige à me défendre. C'est aux vrais dévots que je veux partout me justifier sur la conduite de ma comédie ; et je les conjure de tout mon cœur de ne point condamner les choses avant que de les voir, de se défaire de toute prévention et de ne point servir la passion de ceux dont les grimaces les déshonorent.
Si l'on prend la peine d'examiner de bonne foi ma comédie, on verra sans doute que mes intentions y sont partout innocentes, et qu'elle ne tend nullement à jouer les choses que l'on doit révérer, que je l'ai traitée avec toutes les précautions que demandait la délicatesse de la matière, et que j'ai mis tout l'art et tous les soins qu'il m'a été possible pour bien distinguer le personnage de l'hypocrite d'avec celui du vrai dévot. J'ai employé pour cela deux actes entiers à préparer la venue de mon scélérat. Il ne tient pas un seul moment l'auditeur en balance ; on le connaît d'abord aux marques que je lui donne ; et d'un bout à l'autre il ne dit pas un mot, il ne fait pas une action qui ne peigne aux spectateurs le caractère d'un méchant homme, et ne fasse éclater celui du véritable homme de bien que je lui oppose[3].
Je sais bien que pour réponse ces messieurs tâchent d'insinuer que ce n'est point au théâtre à parler de ces matières ; mais je leur demande, avec leur permission, sur quoi ils fondent cette belle maxime. C'est une proposition qu'ils ne font que supposer[4] et qu'ils ne prouvent en aucune façon ; et sans doute il ne serait pas difficile de leur faire

1. *indiscrets* : bruyants.
2. *faciles à recevoir* : reçoivent facilement.
3. *véritable homme de bien que je lui oppose* : Cléante.
4. *supposer* : poser par hypothèse et sans raison.

voir que la comédie[1], chez les Anciens, a pris son origine de la religion, et faisait partie de leurs mystères ; que les Espagnols, nos voisins, ne célèbrent guère de fête où la comédie ne soit mêlée ; et que, même parmi nous, elle doit sa naissance aux soins d'une confrèrie[2] à qui appartient encore aujourd'hui l'Hôtel de Bourgogne, que c'est un lieu qui fut donné pour y représenter les plus importants mystères de notre foi ; qu'on en voit encore des comédies imprimées en lettres gothiques, sous le nom d'un docteur de Sorbonne ; et, sans aller chercher si loin, que l'on a joué de notre temps des pièces saintes de M. de Corneille[3], qui ont été l'admiration de toute la France.

Si l'emploi de la comédie est de corriger les vices des hommes, je ne vois pas pour quelle raison il y aura des privilégiés. Celui-ci est, dans l'État, d'une conséquence bien plus dangereuse que tous les autres ; et nous avons vu que le théâtre a une grande vertu pour la correction. Les plus beaux traits d'une sérieuse morale sont moins puissants, le plus souvent, que ceux de la satire ; et rien ne reprend mieux la plupart des hommes que la peinture de leurs défauts. C'est une grande atteinte aux vices que de les exposer à la risée de tout le monde. On souffre aisément des répréhensions, mais on ne souffre point la raillerie. On veut bien être méchant, mais on ne veut point être ridicule.

On me reproche d'avoir mis des termes de piété dans la bouche de mon Imposteur. Et pouvais-je m'en empêcher, pour bien représenter le caractère d'un hypocrite ? Il suffit, ce me semble, que je fasse connaître les motifs criminels qui lui font dire les choses, et que j'en aie retranché les termes consacrés, dont on aurait eu peine à lui entendre faire un mauvais usage. Mais il débite au quatrième acte

1. *comédie* : le théâtre.
2. *confrérie* : celles des « Frères de la Passion », fondée en 1402 pour représenter « quelque mystère que ce soit de la Passion et de la Résurrection » de Jésus. En 1548, les confrères s'étaient vu attribuer le droit exclusif des représentations théâtrales à Paris. En 1669, ils se trouvaient encore propriétaires de la salle de l'Hôtel de Bourgogne.
3. *Corneille* : allusion à deux tragédies de Corneille : *Polyeucte, martyr,* (1642) et *Théodore, vierge et martyre* (1645).

une morale pernicieuse[1]. Mais cette morale est-elle quelque chose dont tout le monde n'eût les oreilles rebattues ? Dit-elle rien de nouveau dans ma comédie ? Et peut-on craindre que des choses si généralement détestées fassent quelque impression dans les esprits, que je les rende dangereuses en les faisant monter sur le théâtre, qu'elles reçoivent quelque autorité de la bouche d'un scélérat ? Il n'y a nulle apparence à cela ; et l'on doit approuver la comédie du *Tartuffe*, ou condamner généralement toutes les comédies.

C'est à quoi l'on s'attache furieusement depuis un temps, et jamais on ne s'était si fort déchaîné contre le théâtre[2]. Je ne puis pas nier qu'il n'y ait eu des Pères de l'Église qui ont condamné la comédie ; mais on ne peut pas me nier aussi qu'il n'y en ait eu quelques-uns qui l'ont traitée un peu plus doucement. Ainsi l'autorité dont on prétend appuyer la censure est détruite par ce partage ; et toute la conséquence qu'on peut tirer de cette diversité d'opinions en des esprits éclairés des mêmes lumières, c'est qu'ils ont pris la comédie différemment, et que les uns l'ont considérée dans sa pureté, lorsque les autres l'ont regardée dans sa corruption et confondue avec tous ces vilains spectacles qu'on a eu raison de nommer les spectacles de turpitude.

Et en effet, puisqu'on doit discourir des choses et non pas des mots, et que la plupart des contrariétés viennent de ne se pas entendre et d'envelopper dans un même mot des choses opposées, il ne faut qu'ôter le voile de l'équivoque et regarder ce qu'est la comédie en soi, pour voir si elle est condamnable. On connaîtra sans doute que, n'étant autre chose qu'un poème ingénieux qui, par des leçons agréables, reprend les défauts des hommes, on ne saurait la censurer sans injustice. Et si nous voulons ouïr là-dessus le témoignage de l'Antiquité, elle nous dira que ses plus célèbres philosophes ont donné des louanges à la comédie, eux qui

1. *morale pernicieuse* : celle des casuistes (cf.p. 165).

2. *contre le théâtre* : allusion aux attaques de Nicole, solitaire de Port-Royal, dans son *Traité de la Comédie* (1667), et du prince de Conti – devenu membre éminent de la cabale des dévots après avoir été le protecteur de Molière à ses débuts – dans son ouvrage paru en 1669 : *Traité de la comédie et des spectacles selon la tradition de l'Église.*

faisaient profession d'une sagesse si austère, et qui criaient sans cesse après les vices de leur siècle ; elle nous fera voir qu'Aristote[1] a consacré des veilles au théâtre, et s'est donné le soin de réduire en préceptes l'art de faire des comédies ; elle nous apprendra que de ses plus grands hommes[2], et des premiers en dignité, ont fait gloire d'en composer eux-mêmes, qu'il y en a eu d'autres qui n'ont pas dédaigné de réciter[3] en public celles qu'ils avaient composées, que la Grèce a fait pour cet art éclater son estime par les prix glorieux et par les superbes théâtres dont elle a voulu l'honorer, et que, dans Rome enfin, ce même art a reçu aussi des honneurs extraordinaires : je ne dis pas dans Rome débauchée et sous la licence des empereurs, mais dans Rome disciplinée, sous la sagesse des consuls, et dans le temps de la vigueur de la vertu romaine.

J'avoue qu'il y a eu des temps où la comédie s'est corrompue. Et qu'est-ce que dans le monde on ne corrompt point tous les jours ? Il n'y a chose si innocente où les hommes ne puissent porter du crime, point d'art si salutaire dont ils ne soient capables de renverser les intentions, rien de si bon en soi qu'ils ne puissent tourner à de mauvais usages. La médecine est un art profitable, et chacun la révère comme une des plus excellentes choses que nous ayons ; et cependant il y a eu des temps où elle s'est rendue odieuse, et souvent on en a fait un art d'empoisonner les hommes. La philosophie est un présent du Ciel ; elle nous a été donnée pour porter nos esprits à la connaissance d'un Dieu par la contemplation des merveilles de la nature ; et pourtant on n'ignore pas que souvent on l'a détournée de son emploi, et qu'on l'a occupée publiquement à soutenir l'impiété. Les choses même les plus saintes ne sont point à couvert de la corruption des hommes ; et nous voyons des scélérats qui, tous les jours, abusent de la piété, et la font servir méchamment aux crimes les plus grands. Mais on ne laisse pas pour cela de faire les distinctions qu'il est besoin

1. *Aristote* : allusion à sa *Poétique*.
2. *ses plus grands hommes* : Scipion et Lélius auraient été, dit-on, collaborateurs de Térence.
3. *réciter* : déclamer.

de faire ; on n'enveloppe point, dans une fausse conséquence, la bonté des choses que l'on corrompt avec la malice des corrupteurs ; on sépare toujours le mauvais usage d'avec l'intention de l'art ; et comme on ne s'avise point de défendre la médecine, pour avoir été bannie de Rome[1], ni la philosophie, pour avoir été condamnée publiquement dans Athènes[2], on ne doit point aussi vouloir interdire la comédie, pour avoir été censurée en de certains temps. Cette censure a eu ses raisons, qui ne subsistent point ici ; elle s'est renfermée dans ce qu'elle a pu voir ; et nous ne devons point la tirer des bornes qu'elle s'est données, l'étendre plus loin qu'il ne faut, et lui faire embrasser l'innocent avec le coupable. La comédie qu'elle a eu dessein d'attaquer n'est point du tout la comédie que nous voulons défendre. Il se faut bien garder de confondre celle-là avec celle-ci. Ce sont deux personnes de qui les mœurs sont tout à fait opposées ; elle n'ont aucun rapport l'une avec l'autre que la ressemblance du nom ; et ce serait une injustice épouvantable que de vouloir condamner Olimpe qui est femme de bien, parce qu'il y a eu une Olimpe qui a été une débauchée. De semblables arrêts, sans doute, feraient un grand désordre dans le monde. Il n'y aurait rien par là qui ne fût condamné ; et puisque l'on ne garde point cette rigueur à tant de choses dont on abuse tous les jours, on doit bien faire la même grâce à la comédie, et approuver les pièces de théâtre où l'on verra régner l'instruction et l'honnêteté.

Je sais qu'il y a des esprits, dont la délicatesse ne peut souffrir aucune comédie, qui disent que les plus honnêtes sont les plus dangereuses, que les passions que l'on y dépeint sont d'autant plus touchantes qu'elles sont pleines de vertu, et que les âmes sont attendries par ces sortes de représentations. Je ne vois pas quel grand crime c'est que de s'attendrir à la vue d'une passion honnête ; et c'est un haut étage de vertu que cette pleine insensibilité où ils

1. *Rome* : lorsque les anciens Romains « chassèrent les Grecs de l'Italie, longtemps après Caton, les médecins furent spécialement compris dans le décret. » (Pline, *Histoire Naturelle*, livre V, chap. 8).
2. *Athènes* : allusion à la condamnation de Socrate.

veulent faire monter notre âme. Je doute qu'une si grande perfection soit dans les forces de la nature humaine ; et je ne sais s'il n'est pas mieux de travailler à rectifier et adoucir les passions des hommes, que de vouloir les retrancher entièrement. J'avoue qu'il y a des lieux qu'il vaut mieux fréquenter que le théâtre ; et si l'on veut blâmer toutes les choses qui ne regardent pas directement Dieu et notre salut, il est certain que la comédie en doit être, et je ne trouve point mauvais qu'elle soit condamnée avec le reste. Mais supposé, comme il est vrai, que les exercices de la piété souffrent des intervalles et que les hommes aient besoin de divertissement, je soutiens qu'on ne leur en peut trouver un qui soit plus innocent que la comédie. Je me suis étendu trop loin. Finissons par un mot d'un grand prince[1] sur la comédie du *Tartuffe*.
Huit jours après qu'elle eut été défendue, on représenta devant la cour une pièce intitulée *Scaramouche ermite*[2], et le Roi, en sortant, dit au grand prince que je veux dire : « Je voudrais bien savoir pourquoi les gens qui se scandalisent si fort de la comédie de Molière ne disent mot de celle de *Scaramouche.* » À quoi le Prince répondit : « La raison de cela, c'est que la comédie de *Scaramouche* joue le Ciel et la religion, dont ces messieurs-là ne se soucient point ; mais celle de Molière les joue eux-mêmes : c'est ce qu'ils ne peuvent souffrir. »

1. *le mot d'un grand prince :* Condé, le plus illustre partisan de Molière dans la bataille du *Tartuffe*.
2. *Scaramouche ermite :* titre d'un canevas de *commedia dell'arte*, aujourd'hui disparu. D'après Voltaire, il s'agissait d'« un ermite vêtu en moine » qui « montait la nuit par une échelle à la fenêtre d'une femme mariée », disant toujours *Questo è per mortificar la carne* (« Ceci est pour mortifier la chair »).

PERSONNAGES

Mme PERNELLE, mère d'Orgon
ORGON, mari d'Elmire
ELMIRE, femme d'Orgon
DAMIS, fils d'Orgon
MARIANE, fille d'Orgon et amante de Valère
VALÈRE, amant de Mariane
CLÉANTE, beau-frère d'Orgon
TARTUFFE, faux dévot
DORINE, suivante de Mariane
M. LOYAL, sergent
UN EXEMPT
FLIPOTE, servante de Mme Pernelle

La scène est à Paris, dans la maison d'Orgon.

ACTE I

SCÈNE PREMIÈRE. MADAME PERNELLE ET FLIPOTE SA SERVANTE, ELMIRE, MARIANE, DORINE, DAMIS, CLÉANTE

MADAME PERNELLE

Allons, Flipote, allons, que d'eux je me délivre.

ELMIRE

Vous marchez d'un tel pas qu'on a peine à vous suivre.

MADAME PERNELLE

Laissez, ma bru, laissez, ne venez pas plus loin :
Ce sont toutes façons dont je n'ai pas besoin.

ELMIRE

5 De ce que l'on vous doit envers vous on s'acquitte.
Mais, ma mère, d'où vient que vous sortez si vite ?

MADAME PERNELLE

C'est que je ne puis voir tout ce ménage-ci,
Et que de me complaire on ne prend nul souci.
Oui, je sors de chez vous fort mal édifiée :
10 Dans toutes mes leçons j'y suis contrariée,
On n'y respecte rien, chacun y parle haut,
Et c'est tout justement la cour du roi Pétaut[1].

DORINE

Si...

MADAME PERNELLE

Vous êtes, mamie, une fille suivante[2]
Un peu trop forte en gueule, et fort impertinente :
15 Vous vous mêlez sur tout de dire votre avis.

---

1. *la cour du roi Pétaut* : où chacun discute les ordres du roi. Ce *roi Pétaut* semble avoir été le roi des mendiants (cf. argot : une pétaudière).
2. *fille suivante* : nom de l'emploi• de théâtre de l'actrice jouant Dorine. Une « suivante » est plus une demoiselle de compagnie qu'une simple servante.

DAMIS

Mais...

MADAME PERNELLE

Vous êtes un sot en trois lettres, mon fils;
C'est moi qui vous le dis, qui suis votre grand-mère;
Et j'ai prédit cent fois à mon fils, votre père,
Que vous preniez tout l'air d'un méchant garnement,
20 Et ne lui donneriez jamais que du tourment.

MARIANE

Je crois...

MADAME PERNELLE

Mon Dieu, sa sœur, vous faites la discrette[1],
Et vous n'y touchez pas, tant vous semblez doucette;
Mais il n'est, comme on dit, pire eau que l'eau qui dort,
Et vous menez sous chape[2] un train que je hais fort.

ELMIRE

25 Mais, ma mère...

MADAME PERNELLE

Ma bru, qu'il ne vous en déplaise,
Votre conduite en tout est tout à fait mauvaise;
Vous devriez leur mettre un bon exemple aux yeux,
Et leur défunte mère en usait beaucoup mieux.
Vous êtes dépensière; et cet état me blesse,
30 Que vous alliez vêtue ainsi qu'une princesse.
Quiconque à son mari veut plaire seulement,
Ma bru, n'a pas besoin de tant d'ajustement.

CLÉANTE

Mais, madame, après tout...

MADAME PERNELLE

Pour vous, monsieur son frère,
Je vous estime fort, vous aime, et vous révère;
35 Mais enfin, si j'étais de mon fils, son époux,
Je vous prierais bien fort de n'entrer point chez nous.

---

1. *discrette* : rime pour l'œil.
2. *sous chape* : sous cape.

Sans cesse vous prêchez des maximes de vivre
Qui par d'honnêtes gens ne se doivent point suivre.
Je vous parle un peu franc ; mais c'est là mon humeur,
40 Et je ne mâche point ce que j'ai sur le cœur.

DAMIS
Votre monsieur Tartuffe est bien heureux sans doute...

MADAME PERNELLE
C'est un homme de bien, qu'il faut que l'on écoute ;
Et je ne puis souffrir sans me mettre en courroux
De le voir querellé par un fou comme vous.

DAMIS
45 Quoi ? je souffrirai, moi, qu'un cagot[1] de critique
Vienne usurper céans[2] un pouvoir tyrannique,
Et que nous ne puissions à rien nous divertir[3],
Si ce beau monsieur-là n'y daigne consentir ?

DORINE
S'il le faut écouter et croire à ses maximes,
50 On ne peut faire rien qu'[4]on ne fasse des crimes ;
Car il contrôle tout, ce critique zélé.

MADAME PERNELLE
Et tout ce qu'il contrôle est fort bien contrôlé.
C'est au chemin du Ciel qu'il prétend vous conduire,
Et mon fils à l'aimer vous devrait tous induire.

DAMIS
55 Non, voyez-vous, ma mère, il n'est père ni rien
Qui me puisse obliger à lui vouloir du bien :
Je trahirais mon cœur de parler d'autre sorte ;
Sur ses façons de faire à tous coups je m'emporte ;
J'en prévois une suite, et qu'avec ce pied-plat[5]
60 Il faudra que j'en vienne à quelque grand éclat.

---

1. *cagot* : bigot, faux dévot.
2. *céans* : ici dedans.
3. *à rien nous divertir* : nous tourner vers nulle occupation.
4. *rien... qu'* : rien sans qu'.
5. *pied-plat* : qui ne porte pas de talons, paysan.

DORINE

Certes c'est une chose aussi qui scandalise,
De voir qu'un inconnu céans s'impatronise,
Qu'un gueux qui, quand il vint, n'avait pas de souliers
Et dont l'habit entier valait bien six deniers,
65 En vienne jusque-là que de se méconnaître,
De contrarier tout, et de faire le maître.

MADAME PERNELLE

Hé ! merci de ma vie[1] ! il en irait bien mieux,
Si tout se gouvernait par ses ordres pieux.

DORINE

Il passe pour un saint dans votre fantaisie :
70 Tout son fait, croyez-moi, n'est rien qu'hypocrisie.

MADAME PERNELLE

Voyez la langue !

DORINE

À lui, non plus qu'à son Laurent,
Je ne me fierais, moi, que sur un bon garant.

MADAME PERNELLE

J'ignore ce qu'au fond le serviteur peut être ;
Mais pour homme de bien je garantis le maître.
75 Vous ne lui voulez mal et ne le rebutez
Qu'à cause qu'il vous dit à tous vos vérités.
C'est contre le péché que son cœur se courrouce,
Et l'intérêt du Ciel est tout ce qui le pousse.

DORINE

Oui ; mais pourquoi, surtout depuis un certain temps,
80 Ne saurait-il souffrir qu'aucun hante céans ?
En quoi blesse le Ciel une visite honnête,
Pour en faire un vacarme à nous rompre la tête ?
Veut-on que là-dessus je m'explique entre nous ?
Je crois que de madame il est, ma foi, jaloux.

MADAME PERNELLE

85 Taisez-vous, et songez aux choses que vous dites.

---

1. *merci de ma vie* : que Dieu ait pitié de ma vie.

Ce n'est pas lui tout seul qui blâme ces visites.
Tout ce tracas qui suit les gens que vous hantez,
Ces carrosses sans cesse à la porte plantés,
Et de tant de laquais le bruyant assemblage
90 Font un éclat fâcheux dans tout le voisinage.
Je veux croire qu'au fond il ne se passe rien;
Mais enfin on en parle, et cela n'est pas bien.

CLÉANTE
Hé! voulez-vous, madame, empêcher qu'on ne cause?
Ce serait dans la vie une fâcheuse chose,
95 Si pour les sots discours où l'on peut être mis,
Il fallait renoncer à ses meilleurs amis.
Et quand même on pourrait se résoudre à le faire,
Croiriez-vous obliger tout le monde à se taire?
Contre la médisance il n'est point de rempart.
100 À tous les sots caquets n'ayons donc nul égard;
Efforçons-nous de vivre avec toute innocence,
Et laissons aux causeurs une pleine licence.

DORINE
Daphné[1], notre voisine, et son petit époux
Ne seraient-ils point ceux qui parlent mal de nous?
105 Ceux de qui la conduite offre le plus à rire
Sont toujours sur autrui les premiers à médire;
Ils ne manquent jamais de saisir promptement
L'apparente lueur du moindre attachement,
D'en semer la nouvelle avec beaucoup de joie,
110 Et d'y donner le tour qu'ils veulent qu'on y croie :
Des actions d'autrui, teintes de leurs couleurs[2].
Ils pensent dans le monde autoriser les leurs,
Et sous le faux espoir de quelque ressemblance,
Aux intrigues qu'ils ont donner de l'innocence,
115 Ou faire ailleurs tomber quelques traits partagés
De ce blâme public dont ils sont trop chargés.

1. *Daphné* : nom de comédie, mais bien choisi : cette nymphe fuyait trop pudiquement devant Apollon...
2. *teintes de leurs couleurs* : travesties à leur façon.

MADAME PERNELLE
Tous ces raisonnements ne font rien à l'affaire.
On sait qu'Orante[1] mène une vie exemplaire :
Tous ses soins vont au Ciel; et j'ai su par des gens
120 Qu'elle condamne fort le train[2] qui vient céans.

DORINE
L'exemple est admirable, et cette dame est bonne !
Il est vrai qu'elle vit en austère personne;
Mais l'âge dans son âme a mis ce zèle ardent,
Et l'on sait qu'elle est prude à son corps défendant.
125 Tant qu'elle a pu des cœurs attirer les hommages,
Elle a fort bien joui de tous ses avantages;
Mais, voyant de ses yeux tous les brillants baisser,
Au monde, qui la quitte, elle veut renoncer,
Et du voile pompeux d'une haute sagesse
130 De ses attraits usés déguiser la faiblesse.
Ce sont là les retours[3] des coquettes du temps.
Il leur est dur de voir déserter les galants.
Dans un tel abandon, leur sombre inquiétude
Ne voit d'autre recours que le métier de prude;
135 Et la sévérité de ces femmes de bien
Censure toute chose, et ne pardonne à rien;
Hautement d'un chacun elles blâment la vie,
Non point par charité, mais par un trait d'envie,
Qui ne saurait souffrir qu'une autre ait les plaisirs
140 Dont le penchant de l'âge a sevré leurs désirs.

MADAME PERNELLE
Voilà les contes bleus[4] qu'il vous faut pour vous plaire.
Ma bru, l'on est chez vous contrainte de se taire,
Car madame à jaser tient le dé[5] tout le jour.
Mais enfin je prétends discourir à mon tour :

1. *Orante* : « celle qui prie » (lat. *orare*, prier). Selon la *Lettre sur la comédie de l'Imposteur*, cette tirade était d'abord prononcée par Cléante.
2. *le train* : le cortège des visiteurs familiers.
3. *retours* : détours (terme de vénerie).
4. *contes bleus* : allusion à une collection de contes de fées et de romans de chevalerie publiée sous une couverture bleue.
5. *tenir le dé* : s'imposer sans cesse dans la conversation.

145 Je vous dis que mon fils n'a rien fait de plus sage
Qu'en recueillant chez soi ce dévot personnage ;
Que le Ciel au besoin[1] l'a céans envoyé
Pour redresser à tous votre esprit fourvoyé ;
Que pour votre salut vous le devez entendre,
150 Et qu'il ne reprend rien qui ne soit à reprendre.
Ces visites, ces bals, ces conversations
Sont du malin esprit toutes inventions.
Là jamais on n'entend de pieuses paroles :
Ce sont propos oisifs, chansons et fariboles ;
155 Bien souvent le prochain en a sa bonne part,
Et l'on y sait médire et du tiers et du quart[2].
Enfin les gens sensés ont leurs têtes troublées
De la confusion de telles assemblées :
Mille caquets divers s'y font en moins de rien ;
160 Et comme l'autre jour un docteur dit fort bien,
C'est véritablement la tour de Babylone[3],
Car chacun y babille, et tout du long de l'aune[4],
Et pour conter l'histoire où ce point l'engagea...
(Montrant Cléante.)
Voilà-t-il pas monsieur qui ricane déjà !
165 Allez chercher vos fous qui vous donnent à rire,
Et sans... Adieu, ma bru : je ne veux plus rien dire.
Sachez que pour céans j'en rabats de moitié,
Et qu'il fera beau temps quand j'y mettrai le pied.
(Donnant un soufflet à Flipote.)
Allons, vous ! vous rêvez, et bayez aux corneilles.
170 Jour de Dieu ! je saurai vous frotter les oreilles.
Marchons, gaupe[5], marchons.

---

1. *au besoin* : parce qu'il y en avait besoin.
2. *du tiers et du quart* : des tierces personnes, et des quatrièmes aussi...
3. *Babylone* : plaisanterie, éculée à l'époque, sur les mots « babil », « Babel » (chantier de la fameuse tour, où les hommes ne se comprenaient pas entre eux, faute d'une langue commune), et « Babylone ».
4. *tout du long de l'aune* : l'aune étant une mesure de longueur, il faut comprendre ici : en allant jusqu'au bout de la mesure, sans retenue.
5. *gaupe* : souillon de mœurs douteuses (« maussade et salope », selon le dictionnaire de Furetière, tandis que Corneille Agrippa associe « gaupes et bordelières »).

Questions

Une scène d'exposition• particulièrement réussie :

Compréhension

La situation

1. *Montrez que deux « camps » s'opposent* d'emblée. *Comment sont-ils rendus* sympathiques *ou* antipathiques? *Définissez le principe de leur antagonisme : à quel vers apparaît-il ? Un conflit précis a-t-il éclaté ?*
2. *En vous appuyant sur des citations précises, déterminez la « philosophie » propre à chaque camp. Dans le siècle et l'œuvre de Molière, à quels courants de pensée pourriez-vous rattacher chacune de ces deux visions du monde (cf. v. 314) ?*
3. *Dorine est-elle sincère (v. 70, notamment) ? Impartiale ?*

Les renseignements fournis

4. *Quels renseignements nous sont transmis ? (Soyez attentif à certains détails comme ceux des vers 28, 31-32, 70, 84, 151...) Par quels genres de traits les personnages sont-ils définis ?*
5. *Quel âge donneriez-vous à Mme Pernelle ? Les renseignements qu'elle vous donne s'avèreront-ils fiables ?*
6. *Comment Tartuffe apparaît-il pour l'instant ? L'exposition est-elle complète ?*

Écriture

7. *Comment, par cette scène d'action, Molière parvient-il à nous donner des informations ? Quelle originalité présente cette scène par rapport aux expositions que vous pouvez connaître (par ex.* L'École des femmes *ou* Le Malade imaginaire) ?
8. ***Le mouvement** : d'où la scène tire-t-elle son moteur et son unité ? Quelles en sont les grandes phases ? Sur quels mots passe-t-on de l'une à l'autre ? Examinez comment les répliques sont distribuées, s'enchaînent, s'allongent ou se raccourcissent. Pourquoi les didascalies• sont-elles si peu nombreuses ?*
9. *« **Duplicité de la communication théâtrale•** » et vraisemblance des scènes d'exposition• : les acteurs doivent*

sembler ne parler qu'entre eux, tout en nous apprenant ce que nous devons savoir. Comment Molière déjoue-t-il cette difficulté ?

10. ***L'art des portraits** : pourquoi sont-ils délicats à introduire au théâtre ? Comment Molière les compose-t-il ? Comparez avec* Le Misanthrope, *II, 4. Dorine s'y prend-elle plus mal que Célimène ?*

11. *Relevez et classez les procédés comiques de cette scène. Y retrouvez-vous des éléments de farce ?*

12. *Quels problèmes particuliers doit poser la représentation d'un* hypo-crite *au théâtre ?*

13. *Les pièces de Molière sont en un, trois ou cinq actes, en prose ou en vers : cherchez un ou deux exemples de chaque type. Pourquoi* Tartuffe *est « en cinq actes et en vers » ?*

Mise en scène

L'espace dramaturgique

14. *Le premier acte nous révèle le décor. Ce peut être l'occasion de nous interroger sur l'utilisation de l'espace à travers l'ensemble de la pièce : classez et ordonnez les indications relatives au lieu que l'on trouve au long du texte : p. 24, et v. 46, 62, 147, 230, 476, 1208, 1554, 1790...), v. 88, 99, 103-140, 151, 214, 225, 283, 430, 493, 657-667, 873, 884, 1360, 1389-1521, 1406, 1522, 1556, 1741, 1755, 1780, 1853, 1862-1863.*

***D'un texte à l'autre** : comparez ce décor avec celui qu'on trouve habituellement dans les comédies (par ex. chez Molière, décor de* l'École des femmes *ou du* Mariage forcé*)*

Organisation de l'espace scénique *: quels lieux sont montrés sur scène, supposés occuper la coulisse, simplement mentionnés ? Les accessoires seront-ils nombreux ?*

***Valeur symbolique** de cet espace scénique : quel adverbe désigne le plus souvent le lieu de l'action ? Montrez que ce lieu constitue aussi un enjeu de l'action. Que pensez-vous de l'interprétation du décor de* Tartuffe *par Planchon (voir p. 178).*

Valeur dramaturgique *: quelles sont les possibilités d'exploitation d'une telle disposition des lieux pour l'animation de la scène et la conduite de l'action ?*

***Les règles** : l'unité de lieu est-elle respectée ?*

SCÈNE 2. CLÉANTE, DORINE

CLÉANTE

Je n'y veux point aller,
De peur qu'elle ne vînt encor me quereller,
Que cette bonne femme[1]...

DORINE

Ah! certes, c'est dommage
Qu'elle ne vous ouît tenir un tel langage :
175 Elle vous dirait bien qu'elle vous trouve bon,
Et qu'elle n'est point d'âge à lui donner ce nom.

CLÉANTE

Comme elle s'est pour rien contre nous échauffée!
Et que de son Tartuffe elle paraît coiffée[2]!

DORINE

Oh! vraiment tout cela n'est rien au prix du fils,
180 Et si vous l'aviez vu, vous diriez : « C'est bien pis! »
Nos troubles[3] l'avaient mis sur le pied d'homme sage,
Et pour servir son prince il montra du courage;
Mais il est devenu comme un homme hébété,
Depuis que de Tartuffe on le voit entêté;
185 Il l'appelle son frère, et l'aime dans son âme
Cent fois plus qu'il ne fait mère, fils, fille et femme.
C'est de tous ses secrets l'unique confident,
Et de ses actions le directeur[4] prudent[5];
Il le choie, il l'embrasse, et pour une maîtresse
190 On ne saurait, je pense, avoir plus de tendresse;
À table, au plus haut bout il veut qu'il soit assis;
Avec joie il l'y voit manger autant que six;
Les bons morceaux de tout, il fait qu'on les lui cède;
Et s'il vient à roter, il lui dit : « Dieu vous aide! »
(C'est une servante qui parle.)

---

1. *bonne femme* : vieille femme.
2. *coiffée* : entichée.
3. *nos troubles* : la Fronde (1648-1653).
4. *directeur* : directeur de conscience, profession de Tartuffe, quoiqu'il fût laïc. Indication capitale, qui situe la condition• du personnage.
5. *prudent* : prévoyant.

195 Enfin il en est fou ; c'est son tout, son héros ;
Il l'admire à tous coups, le cite à tout propos ;
Ses moindres actions lui semblent des miracles,
Et tous les mots qu'il dit sont pour lui des oracles.
Lui, qui connaît sa dupe et qui veut en jouir,
200 Par cent dehors fardés a l'art de l'éblouir ;
Son cagotisme[1] en tire à toute heure des sommes,
Et prend droit de gloser sur tous tant que nous sommes.
Il n'est pas jusqu'au fat qui lui sert de garçon[2]
Qui ne se mêle aussi de nous faire leçon ;
205 Il vient nous sermonner avec des yeux farouches,
Et jeter nos rubans, notre rouge et nos mouches[3].
Le traître, l'autre jour, nous rompit de ses mains
Un mouchoir[4] qu'il trouva dans une *Fleur des Saints*[5],
Disant que nous mêlions, par un crime effroyable,
210 Avec la sainteté les parures du diable.

SCÈNE 3. ELMIRE, MARIANE, DAMIS, CLÉANTE, DORINE

ELMIRE

Vous êtes bien heureux de n'être point venu
Au discours qu'à la porte elle nous a tenu.
Mais j'ai vu mon mari : comme il ne m'a point vue,
Je veux aller là-haut attendre sa venue.

CLÉANTE

215 Moi, je l'attends ici pour moins d'amusement,
Et je vais lui donner le bonjour seulement.

DAMIS

De l'hymen de ma sœur touchez-lui quelque chose.

1. *cagotisme* : bigoterie, dévotion affectée et fausse.
2. *garçon* : domestique sans livrée, mais aussi apprenti.
3. *mouches* : petits morceaux de taffetas noir destinés à faire ressortir l'éclat du teint.
4. *mouchoir* : parure de gorge.
5. *Fleur des Saints* : livre de piété.

J'ai soupçon que Tartuffe à son effet[1] s'oppose,
Qu'il oblige mon père à des détours si grands
220 Et vous n'ignorez pas quel intérêt j'y prends.
Si même ardeur enflamme et ma sœur et Valère,
La sœur de cet ami, vous le savez, m'est chère ;
Et s'il fallait...

DORINE

Il entre.

SCÈNE 4. ORGON, CLÉANTE, DORINE

ORGON

Ah ! mon frère, bonjour.

CLÉANTE

Je sortais, et j'ai joie à vous voir de retour.
225 La campagne à présent n'est pas beaucoup fleurie.

ORGON

Dorine... Mon beau-frère, attendez, je vous prie :
Vous voulez bien souffrir, pour m'ôter de souci,
Que je m'informe un peu des nouvelles d'ici.
(À Dorine.)
Tout s'est-il, ces deux jours, passé de bonne sorte ?
230 Qu'est-ce qu'on fait céans ? comme est-ce qu'on s'y porte ?

DORINE

Madame eut avant-hier la fièvre jusqu'au soir,
Avec un mal de tête étrange à concevoir.

ORGON

Et Tartuffe ?

DORINE

Tartuffe ? Il se porte à merveille.

---

1. *à son effet* : à sa réalisation effective ; le contrat est donc déjà conclu, mais son effet est suspendu.

Gros et gras, le teint frais, et la bouche vermeille[1].

ORGON

235 Le pauvre homme!

DORINE

Le soir, elle eut un grand dégoût[2],
Et ne put au souper toucher à rien du tout,
Tant sa douleur de tête était encor cruelle!

ORGON

Et Tartuffe?

DORINE

Il soupa, lui tout seul, devant elle,
Et fort dévotement il mangea deux perdrix,
240 Avec une moitié de gigot en hachis.

ORGON

Le pauvre homme!

DORINE

La nuit se passa tout entière
Sans qu'elle pût fermer un moment la paupière;
Des chaleurs l'empêchaient de pouvoir sommeiller,
Et jusqu'au jour près d'elle il nous fallut veiller.

ORGON

245 Et Tartuffe?

DORINE

Pressé d'un sommeil agréable,
Il passa dans sa chambre au sortir de la table,
Et dans son lit bien chaud il se mit tout soudain,
Où sans trouble il dormit jusques au lendemain.

ORGON

Le pauvre homme!

---

1. *gros et gras, le teint frais et la bouche vermeille* : telle était la physionomie de Du Croisy, qui fut le premier interprète du rôle. On se méprend souvent sur le sens de ce vers : les critères de la beauté masculine d'alors permettaient à cet acteur de jouer des rôles sérieux et parfois tout à fait nobles.
2. *dégoût* : nausée.

DORINE

À la fin, par nos raisons gagnée,
250 Elle se résolut à souffrir la saignée,
Et le soulagement suivit tout aussitôt.

ORGON

Et Tartuffe ?

DORINE

Il reprit courage comme il faut,
Et contre tous les maux fortifiant son âme,
Pour réparer le sang qu'avait perdu madame,
255 But à son déjeuner quatre grands coups de vin.

ORGON

Le pauvre homme !

DORINE

Tous deux se portent bien enfin ;
Et je vais à madame annoncer par avance
La part que vous prenez à sa convalescence.

SCÈNE 5. ORGON, CLÉANTE

CLÉANTE

À votre nez, mon frère, elle se rit de vous ;
260 Et sans avoir dessein de vous mettre en courroux,
Je vous dirai tout franc que c'est avec justice.
A-t-on jamais parlé d'un semblable caprice ?
Et se peut-il qu'un homme ait un charme[1] aujourd'hui
À vous faire oublier toutes choses pour lui,
265 Qu'après avoir chez vous réparé sa misère,
Vous en veniez au point ?...

ORGON

Halte-là, mon beau-frère :
Vous ne connaissez pas celui dont vous parlez.

1. *charme* : pouvoir d'envoûtement.

CLÉANTE

Je ne le connais pas, puisque vous le voulez ;
Mais enfin, pour savoir quel homme ce peut être...

ORGON

270 Mon frère, vous seriez charmé de le connaître,
Et vos ravissements[1] ne prendraient point de fin.
C'est un homme... qui... ha !... un homme... un homme enfin.
Qui suit bien ses leçons, goûte une paix profonde,
Et comme du fumier regarde tout le monde.
275 Oui, je deviens tout autre avec son entretien ;
Il m'enseigne à n'avoir affection pour rien,
De toutes amitiés il détache mon âme ;
Et je verrais mourir frère, enfants, mère et femme,
Que je m'en soucierais autant que de cela[2].

CLÉANTE

280 Les sentiments humains, mon frère, que voilà !

ORGON

Ha ! si vous aviez vu comme j'en fis rencontre,
Vous auriez pris pour lui l'amitié que je montre.
Chaque jour à l'église il venait, d'un air doux,
Tout vis-à-vis de moi se mettre à deux genoux.
285 Il attirait les yeux de l'assemblée entière
Par l'ardeur dont au Ciel il poussait sa prière ;
Il faisait des soupirs, de grands élancements,
Et baisait humblement la terre à tous moments ;
Et lorsque je sortais, il me devançait vite,
290 Pour m'aller à la porte offrir de l'eau bénite.
Instruit par son garçon[3], qui dans tout l'imitait,
Et de son indigence, et de ce qu'il était,
Je lui faisais des dons ; mais avec modestie
Il me voulait toujours en rendre une partie.
295 « C'est trop, me disait-il, c'est trop de la moitié :
Je ne mérite pas de vous faire pitié » ;

---

1. *ravissements* : terme mystique, employé ici par excès, « enthousiasme », « visite de Dieu ».
2. cf. Sources religieuses, p. 166.
3. *garçon* : non pas « valet », mais « apprenti » (par exemple un « garçon boucher » (cf. Richelet).

Et quand je refusais de le vouloir reprendre,
Aux pauvres, à mes yeux, il allait le répandre,
Enfin le Ciel chez moi me le fit retirer[1],
300 Et depuis ce temps-là tout semble y prospérer.
Je vois qu'il reprend tout, et qu'à ma femme même
Il prend, pour mon honneur, un intérêt extrême;
Il m'avertit des gens qui lui font les yeux doux,
Et plus que moi six fois il s'en montre jaloux.
305 Mais vous ne croiriez point jusqu'où monte son zèle :
Il s'impute à péché la moindre bagatelle;
Un rien presque suffit pour le scandaliser :
Jusque-là qu'il se vint l'autre jour accuser
D'avoir pris une puce en faisant sa prière,
310 Et de l'avoir tuée avec trop de colère.

CLÉANTE
Parbleu! vous êtes fou, mon frère, que je crois.
Avec de tels discours, vous moquez-vous de moi?
Et que prétendez-vous que tout ce badinage?...

ORGON
Mon frère, ce discours sent le libertinage• :
315 Vous en êtes un peu dans votre âme entiché[2];
Et comme je vous l'ai plus de dix fois prêché,
Vous vous attirerez quelque méchante affaire.

CLÉANTE
Voilà de vos pareils le discours ordinaire :
Ils veulent que chacun soit aveugle comme eux.
320 C'est être libertin que d'avoir de bons yeux,
Et qui n'adore pas de vaines simagrées,
N'a ni respect ni foi pour les choses sacrées.
Allez, tous vos discours ne me font point de peur :
Je sais comme je parle, et le Ciel voit mon cœur.
325 De tous vos façonniers[3] on n'est point les esclaves.
Il est de faux dévots ainsi que de faux braves;
Et comme on ne voit pas qu'où l'honneur les conduit
Les vrais braves soient ceux qui font beaucoup de bruit,

1. *me le fit retirer* : me fit lui donner retraite, le recueillir.
2. *entiché* : se dit d'un fruit qui commence à pourrir (cf. Furetière).
3. *façonniers* : gens qui font des façons, hypocrites.

Les bons et vrais dévots, qu'on doit suivre à la trace,
330 Ne sont pas ceux aussi qui font tant de grimace.
Hé quoi ? vous ne ferez nulle distinction
Entre l'hypocrisie et la dévotion ?
Vous les voulez traiter d'un semblable langage,
Et rendre même honneur au masque qu'au visage,
335 Égaler l'artifice à la sincérité,
Confondre l'apparence avec la vérité,
Estimer le fantôme autant que la personne,
Et la fausse monnaie à l'égal de la bonne ?
Les hommes la plupart sont étrangement faits !
340 Dans la juste nature on ne les voit jamais ;
La raison a pour eux des bornes trop petites ;
En chaque caractère ils passent ses limites ;
Et la plus noble chose, ils la gâtent souvent
Pour la vouloir outrer et pousser trop avant.
345 Que cela vous soit dit en passant, mon beau-frère.

ORGON
Oui, vous êtes sans doute un docteur qu'on révère ;
Tout le savoir du monde est chez vous retiré ;
Vous êtes le seul sage et le seul éclairé,
Un oracle, un Caton[1] dans le siècle où nous sommes ;
350 Et près de vous ce sont des sots que tous les hommes.

CLÉANTE
Je ne suis point, mon frère, un docteur révéré,
Et le savoir chez moi n'est pas tout retiré.
Mais, en un mot, je sais, pour toute ma science,
Du faux avec le vrai faire la différence.
355 Et comme je ne vois nul genre de héros
Qui soient plus à priser que les parfaits dévots,
Aucune chose au monde et plus noble et plus belle
Que la sainte ferveur d'un véritable zèle,
Aussi ne vois-je rien qui soit plus odieux
Que le dehors plâtré d'un zèle spécieux[2],

1. *Caton* : il passait à Rome pour le modèle même de la vertu la plus austère et la plus intransigeante.
2. *spécieux* : qui n'est que pour être vu, de pure apparence.

360 Que ces francs charlatans, que ces dévots de place[1],
De qui la sacrilège et trompeuse grimace
Abuse impunément et se joue à leur gré
De ce qu'ont les mortels de plus saint et sacré,
365 Ces gens qui, par une âme à l'intérêt soumise,
Font de dévotion métier et marchandise,
Et veulent acheter crédit et dignités
À prix de faux clins d'yeux et d'élans affectés,
Ces gens, dis-je, qu'on voit d'une ardeur non commune
370 Par le chemin du Ciel courir à leur fortune,
Qui, brûlants et priants, demandent chaque jour,
Et prêchent la retraite au milieu de la cour,
Qui savent ajuster leur zèle avec leurs vices,
Sont prompts[2], vindicatifs, sans foi, pleins d'artifices,
375 Et pour perdre quelqu'un couvrent insolemment
De l'intérêt du Ciel leur fier ressentiment,
D'autant plus dangereux dans leur âpre colère,
Qu'ils prennent contre nous des armes qu'on révère,
Et que leur passion, dont on leur sait bon gré,
380 Veut nous assassiner avec un fer sacré.
De ce faux caractère on en voit trop paraître;
Mais les dévots de cœur sont aisés à connaître.
Notre siècle, mon frère, en expose à nos yeux
Qui peuvent nous servir d'exemples glorieux :
385 Regardez Ariston, regardez Périandre,
Oronte, Alcidamas, Polydore, Clitandre;
Ce titre par aucun ne leur est débattu;
Ce ne sont point du tout fanfarons de vertu;
On ne voit point en eux ce faste insupportable,
390 Et leur dévotion est humaine, est traitable.
Ils ne censurent point toutes nos actions :
Ils trouvent trop d'orgueil dans ces corrections;
Et laissant la fierté des paroles aux autres,
C'est par leurs actions qu'ils reprennent les nôtres.
L'apparence du mal a chez eux peu d'appui

1. *de place* : publique.
2. *prompts* : à s'emporter, irascibles.

395 Et leur âme est portée à juger bien d'autrui.
Point de cabale• en eux[1], point d'intrigues à suivre ;
On les voit, pour tous soins, se mêler de bien vivre ;
Jamais contre un pécheur ils n'ont d'acharnement ;
400 Ils attachent leur haine au péché seulement,
Et ne veulent point prendre, avec un zèle extrême,
Les intérêts du Ciel plus qu'il ne veut lui-même.
Voilà mes gens, voilà comme il en faut user,
Voilà l'exemple enfin qu'il se faut proposer.
405 Votre homme, à dire vrai, n'est pas de ce modèle :
C'est de fort bonne foi que vous vantez son zèle ;
Mais par un faux éclat je vous crois ébloui.

ORGON

Monsieur mon cher beau-frère, avez-vous tout dit ?

CLÉANTE

Oui.

ORGON

Je suis votre valet. *(Il veut s'en aller.)*

CLÉANTE

De grâce un mot mon frère.
410 Laissons là ce discours. Vous savez que Valère
Pour être votre gendre a parole de vous ?

ORGON

Oui.

CLÉANTE

Vous aviez pris jour pour un lien si doux.

ORGON

Il est vrai.

CLÉANTE

Pourquoi donc en différer la fête ?

ORGON

Je ne sais.

CLÉANTE

Auriez-vous autre pensée en tête ?

---

1. *point de cabale en eux* : (et non entre eux) esprit de cabale, goût de s'assembler secrètement pour perdre ses ennemis et se pousser dans le monde.

ORGON
415 Peut-être.

CLÉANTE
Vous voulez manquer à votre foi[1] ?

ORGON
Je ne dis pas cela.

CLÉANTE
Nul obstacle, je croi,
Ne vous peut empêcher d'accomplir vos promesses,

ORGON
Selon.

CLÉANTE
Pour dire un mot, faut-il tant de finesses ?
Valère sur ce point me fait vous visiter.

ORGON
420 Le Ciel en soit loué !

CLÉANTE
Mais que lui reporter[2] ?

ORGON
Tout ce qu'il vous plaira.

CLÉANTE
Mais il est nécessaire
De savoir vos desseins. Quels sont-ils donc ?

ORGON
De faire
Ce que le Ciel voudra.

CLÉANTE
Mais parlons tout de bon.
Valère a votre foi : la tiendrez-vous, ou non ?

ORGON
425 Adieu.

CLÉANTE, *seul.*
Pour son amour je crains une disgrâce,
Et je dois l'avertir de tout ce qui se passe.

---

1. *foi* : parole.
2. *reporter* : rapporter.

Questions

Compréhension

Le mouvement et la dramaturgie•

1. *D'où vient l'unité de ce groupe de scènes ? Jusqu'à quand Orgon restera-t-il sur le théâtre et pourquoi ? Décomptez les scènes où il apparaît, comparez avec les autres personnages.*

2. *Quelles sont les phases du mouvement• des scènes 2 à 5 ? À quoi sert la scène 3 ? Quel est le mouvement de la scène 5 ? Par quels procédés successifs Molière campe-t-il son personnage ? Commentez cette technique.*

Le personnage d'Orgon

3. *En quoi les vers 181-182 permettent de situer sa* condition• *?*

4. *Quel est son* caractère• *? Que nous apprend son* nom *? Relevez les vers qui précisent sa relation à Tartuffe et son rôle dans l'intrigue•.*

5. ***D'un texte à l'autre** : comparez Orgon à d'autres personnages de Molière. Appartient-il à un type bien établi ? Quelle scène le montre le mieux ?*

Un absent omniprésent

6. *Que savons-nous de Tartuffe ? Comment interpréter le physique que suggère Dorine ? (cf. v. 200-210, 234, 560).*

7. *Quelle semble être la* condition• *de Tartuffe ? (cf. v. 71-73, 188, 291, 482-486) ? À quel personnage de la comédie latine fait-il penser (v. 191-193, 238-240) ?*

L'action

8. *Montrez la fonction des vers 181-184.*

9. *Quels enjeux dramatiques apparaissent, et à quel moment ? Quel vers y préparait le spectateur ?*

10. ***D'un texte à l'autre :** comparez avec d'autres comédies (Molière, Marivaux, Beaumarchais) : l'enjeu apparu est-il original ? Tiendra-t-il une place centrale ?*

11. ***Conclusion :** Molière pouvait-il nous montrer Tartuffe dès ce premier acte ?*

12. ***La pensée :*** *analysez les thèmes de l'*hypocrisie• *et de la* dévotion• *(v. 331-332) dans l'acte I. Replacez-les dans leur contexte.*

Écriture

Hypocrisie et théâtralité

13. *Le portrait d'Orgon par Dorine (sc. 2) est-il confirmé par les scènes 4 et 5 ?*

14. *À quels professionnels font penser les dévots peints par Dorine et Cléante ? (v. 200, 334, 360, 361, 362, 366, 368). À quoi servent donc ces deux personnages ? (cf. v. 61-66, 69-70, 79-84, v. 184-210 ; sc. 4 ; v. 359-407).*

15. ***Le portrait de Tartuffe par Orgon*** *(v. 281-310) : d'où vient notre* plaisir *aux vers 259-310 ? De quel personnage, et par quels* signes, *le texte nous conduit-il à adopter le point de vue ? Montrez la valeur des expressions relatives au* regard *dans la tirade d'Orgon (281-310). Quelle vertu chrétienne se donne à voir dans les attitudes que rapporte Orgon ? Est-ce comique ? Peut-on douter de l'hypocrisie de Tartuffe ? (cf. v. 281, 284, 285, 288, 298, 361, ainsi que le* Premier Placet, *p. 10).*

16. ***D'un texte à l'autre :*** *comparez les portraits de Tartuffe à celui d'Onuphre chez La Bruyère (cf. p. 190) : d'où viennent les différences ?*

17. ***Le comique :*** *quels sont les procédés comiques mis en œuvre dans les scènes 4 et 5 ? En quoi le comique est-il aussi franc que sérieux ? (voir par ex. les v. 270-280).*

18. ***L'art du portrait :*** *composition et écriture dans les portraits (v. 179-210, sc. 4, v. 281-310). En quoi le portrait de Tartuffe diffère-t-il de ceux de Daphné ou Orante dans la scène 1, et, plus généralement des portraits qu'on trouve chez Molière ? (cf.* Le Misanthrope*). Pourquoi ?*

19. ***La différenciation des personnages par le langage :*** *étudiez par quels traits se distinguent les langages de Dorine, Cléante et Orgon, et comment Dorine change de vocabulaire dans la scène 4 selon qu'elle parle de Tartuffe ou d'Elmire. Quelle est l'utilité de ces différenciations ?*

20. « ***Tyrannie de la tirade•*** » *: étudiez la composition et l'argumentation dans l'une ou l'autre des tirades de Cléante (v. 318-345 et 351-409). Quels sont les avantages et inconvénients des « tirades » ?*

Bilan

Les personnages

• *Ce que nous savons*

Tartuffe, dont tous parlent et qu'on ne voit pas, est l'occasion de la discorde (v. 41-42). La présence de ce directeur de conscience• (v. 45-54, 188) divise une famille (v. 3, 16, 21, 33) de la haute bourgeoisie (v. 2930, 87-89, 151), dont le chef fut proche du roi (v. 181-182). Ce parasite• en perturbe l'ordre (v. 46, 62-66, 218-223) : l'action ne s'éteindra qu'avec la victoire de l'un des camps. Parmi les dévots, qui sont le petit nombre, Orgon paraît sincère mais aveugle (v. 183-200, 281-310, 408-425), Tartuffe est un hypocrite (v. 70), Mme Pernelle, vieille dévote acariâtre à la piété baroque, mère d'Orgon. Le camp opposé coalise les personnages jeunes, plus nombreux et brillants : la grande coquette joue Elmire, seconde épouse d'Orgon ; le jeune premier représente Damis, coléreux comme son père Orgon. Le rôle de sa sœur, la secrète Mariane, revient à la « coquette sage ». Le « raisonneur » est Cléante. Tous incarnent la morale mondaine du « naturel » et de l'honnêteté•, qui n'est que libertinage• aux yeux des dévots. Dorine, suivante « forte en gueule », est la voix du parterre.

• *À quoi nous attendre ?*

Les enjeux psychologiques : *verra-t-il ce que tous voient ? (v. 319-320). Tant qu'il restera « tartuffié », Orgon errera (v. 201, 422-423) ; volonté du parasite• : pourra-t-on l'infléchir ? Son avidité (v. 191-193, 238-240) laisse deviner que non. On ne pourra neutraliser Tartuffe qu'en le démasquant. L'enjeu central est là : le couple Orgon-Tartuffe sera-t-il brisé ?*

L'action

• *Ce que nous savons*

D'emblée, *deux camps s'opposent. Le maître apparaît en protagoniste•, mais sa volonté est subordonnée. « L'objet• » qu'il veut incorporer à sa maison, c'est Tartuffe (v. 195-299-300). Or cet « objet », qui est un homme, se modèle sur son désir (v. 281-310). En premier ressort, Tartuffe dirige le maître (v. 272-280), et mène l'action par-dessous.*

• ***À quoi nous attendre ?***

*— **Les enjeux matériels :** la maison d'Orgon : qui demeurera maître de « céans » (v. 62, 66) ? Le mariage de Mariane, enjeu de crise•, impose une action immédiate : Orgon semble s'y opposer (v. 410-426) et cela suspend un péril•.*
*— **À ces enjeux s'ajoute une attente :** quand verrons-nous Tartuffe ?*
Pour l'instant les dévots disposent de la volonté du maître, toute pervertie (v. 410-426). Les « bons » sont tenus en échec. Pire : les railleries de Dorine (sc. 4), les raisons de Cléante (sc. 5) raidissent Orgon (v. 408-425).

Les thèmes

Des antagonismes d'idées sous-tendent le conflit : dévotion• / hypocrisie•, libertinage• / honnêteté•, honnêteté/ fausse dévotion, vérité ou fausseté des apparences•.
Autour de l'absence d'un Tartuffe, omniprésent dans le discours d'autrui, s'instaurent les thèmes éminemment théâtraux du masque et du visage, de l'être et du paraître. L'esthétique de la pièce confine au baroque•, bien que sa facture reste classique•.

L'art de Molière

***Une dramaturgie simple mais efficace :** au lieu d'un entretien à deux, l'exposition met en scène tous les personnages (sauf un !) et n'est que mouvement. Habile distribution des répliques (sc. 1), sens des entrées (sc. 3 et 4) et de la progression dramatique (sc. 1 et 5). Un retardement remarquable : Tartuffe, absent omniprésent, donne à l'attente une formidable intensité. Une écriture robuste, qui concentre les effets• : enchaînement comique des répliques, sens de la tirade• (sc. 5), habileté à mêler les tons, comique de farce• (les soufflets de Mme Pernelle) ; et comique sérieux (sc. 5). Art des portraits (sc. 1, 2, 4 et 5), langage différencié pour chacun (sc. 1, 4 et 5).*

ACTE II

SCÈNE PREMIÈRE. ORGON, MARIANE

ORGON
Mariane.

MARIANE
Mon père.

ORGON
Approchez, j'ai de quoi
Vous parler en secret.

MARIANE
Que cherchez-vous ?

ORGON *(Il regarde dans un petit cabinet.)*
Je voi
Si quelqu'un n'est point là qui pourrait nous entendre ;
430 Car ce petit endroit est propre pour surprendre.
Or sus[1], nous voilà bien. J'ai, Mariane, en vous
Reconnu de tout temps un esprit assez doux,
Et de tout temps aussi vous m'avez été chère.

MARIANE
Je suis fort redevable à cet amour de père.

ORGON
435 C'est fort bien dit, ma fille ; et pour le mériter,
Vous devez n'avoir soin que de me contenter.

MARIANE
C'est où je mets aussi ma gloire la plus haute.

ORGON
Fort bien. Que dites-vous de Tartuffe notre hôte ?

MARIANE
Qui, moi ?

---

1. *or sus* : allons.

ORGON

Vous. Voyez bien comme vous répondrez.

MARIANE

440 Hélas ! j'en dirai, moi, tout ce que vous voudrez.

ORGON

C'est parler sagement. Dites-moi donc, ma fille,
Qu'en toute sa personne un haut mérite brille,
Qu'il touche votre cœur, et qu'il vous serait doux
De le voir par mon choix devenir votre époux.
445 Eh ?

(Mariane se recule avec surprise.)

MARIANE

Eh ?

ORGON

Qu'est-ce ?

MARIANE

Plaît-il ?

ORGON

Quoi ?

MARIANE

Me suis-je méprise ?

ORGON

Comment ?

MARIANE

Qui voulez-vous, mon père, que je dise
Qui me touche le cœur, et qu'il me serait doux
De voir par votre choix devenir mon époux ?

ORGON

Tartuffe.

MARIANE

Il n'en est rien, mon père, je vous jure.
450 Pourquoi me faire dire une telle imposture ?

ORGON

Mais je veux que cela soit une vérité ;
Et c'est assez pour vous que je l'aie arrêté.

MARIANE

Quoi? vous voulez, mon père?...

ORGON

Oui, je prétends, ma fille,
Unir par votre hymen Tartuffe à ma famille.
455 Il sera votre époux, j'ai résolu cela;
Et comme sur vos vœux je...

SCÈNE 2. DORINE, ORGON, MARIANE

ORGON

Que faites-vous là?
La curiosité qui vous pousse est bien forte,
Mamie[1] à nous venir écouter de la sorte.

DORINE

Vraiment, je ne sais pas si c'est un bruit qui part
460 De quelque conjecture, ou d'un coup de hasard.
Mais de ce mariage on m'a dit la nouvelle,
Et j'ai traité cela de pure bagatelle.

ORGON

Quoi donc? la chose est-elle incroyable?

DORINE

À tel point,
Que vous-même, monsieur, je ne vous en crois point.

ORGON

465 Je sais bien le moyen de vous le faire croire.

DORINE

Oui, oui, vous nous contez une plaisante histoire.

ORGON

Je conte justement ce qu'on verra dans peu.

DORINE

Chansons!

ORGON

Ce que je dis, ma fille, n'est point jeu.

---

1. *mamie* : m'amie, mon amie, ma chère.

DORINE

Allez, ne croyez point à monsieur votre père :

470 Il raille.

ORGON

Je vous dis...

DORINE

Non, vous avez beau faire,

On ne vous croira point.

ORGON

À la fin mon courroux...

DORINE

Hé bien! on vous croit donc, et c'est tant pis pour vous.

Quoi? se peut-il, monsieur, qu'avec l'air d'homme sage

Et cette large barbe[1] au milieu du visage,

475 Vous soyez assez fou pour vouloir...

ORGON

Écoutez :

Vous avez pris céans certaines privautés

Qui ne me plaisent point; je vous le dis, mamie.

DORINE

Parlons sans nous fâcher, monsieur, je vous supplie.

Vous moquez-vous des gens d'avoir fait ce complot?

480 Votre fille n'est point l'affaire d'un bigot :

Il a d'autres emplois auxquels il faut qu'il pense.

Et puis, que vous apporte une telle alliance?

À quel sujet aller, avec tout votre bien,

Choisir un gendre gueux?...

ORGON

Taisez-vous. S'il n'a rien,

485 Sachez que c'est par là qu'il faut qu'on le révère.

Sa misère est sans doute[2] une honnête misère;

Au-dessus des grandeurs elle doit l'élever,

Puisque enfin de son bien il s'est laissé priver

---

1. *barbe* : (se dit aussi de la moustache). Celle de Scaramouche, chef de la troupe des Italiens, dont Molière avait pris le costume et l'allure.
2. *sans doute* : sans aucun doute, assurément.

Par son trop peu de soin des choses temporelles,
490 Et sa puissante attache[1] aux choses éternelles.
Mais mon secours pourra lui donner les moyens
De sortir d'embarras et rentrer dans ses biens :
Ce sont fiefs qu'à bon titre[2] au pays[3] on renomme ;
Et tel que l'on le voit, il est bien gentilhomme.

DORINE
495 Oui, c'est lui qui le dit : et cette vanité,
Monsieur, ne sied pas bien avec la piété.
Qui d'une sainte vie embrasse l'innocence
Ne doit point tant prôner[4] son nom et sa naissance.
Et l'humble procédé de la dévotion
500 Souffre mal les éclats de cette ambition.
À quoi bon cet orgueil ?... Mais ce discours vous blesse :
Parlons de sa personne, et laissons sa noblesse.
Ferez-vous possesseur, sans quelque peu d'ennui,
D'une fille comme elle un homme comme lui ?
505 Et ne devez-vous pas songer aux bienséances,
Et de cette union prévoir les conséquences ?
Sachez que d'une fille on risque la vertu,
Lorsque dans son hymen son goût est combattu,
Que le dessein d'y vivre en honnête personne
510 Dépend des qualités du mari qu'on lui donne,
Et que ceux dont partout on montre au doigt le front
Font leurs femmes souvent ce qu'on voit qu'elles sont.
Il est bien difficile enfin d'être fidèle
À de certains maris faits d'un certain modèle,
515 Et qui donne à sa fille un homme qu'elle hait
Est responsable au Ciel des fautes qu'elle fait.
Songez à quels périls votre dessein vous livre.

ORGON
Je vous dis qu'il me faut apprendre d'elle à vivre.

---

1. *attache* : attachement.
2. *qu'à bon titre... on renomme* : de bon aloi, qui ont la réputation d'être possédés sur la foi de titres féodaux dûment établis et bien réels.
3. *au pays* : dans son pays (sa province).
4. *prôner* : vanter.

DORINE

Vous n'en feriez que mieux de suivre mes leçons.

ORGON

520 Ne nous amusons point, ma fille, à ces chansons :
Je sais ce qu'il vous faut, et je suis votre père.
J'avais donné pour vous ma parole à Valère ;
Mais outre qu'à jouer on dit qu'il est enclin,
Je le soupçonne encor d'être un peu libertin• :
525 Je ne remarque point qu'il hante les églises.

DORINE

Voulez-vous qu'il coure à vos heures précises,
Comme ceux qui n'y vont que pour être aperçus ?

ORGON

Je ne demande pas votre avis là-dessus.
Enfin avec le Ciel l'autre est le mieux du monde,
530 Et c'est une richesse à nulle autre seconde.
Cet hymen de tous biens comblera vos désirs,
Il sera tout confit[1] en douceurs et plaisirs.
Ensemble vous vivrez, dans vos ardeurs fidèles,
Comme deux vrais enfants, comme deux tourterelles ;
535 À nul fâcheux débat jamais vous n'en viendrez,
Et vous ferez de lui tout ce que vous voudrez.

DORINE

Elle ? elle n'en fera qu'un sot[2], je vous assure.

ORGON

Ouais ! quels discours !

DORINE

Je dis qu'il en a l'encolure,
Et que son ascendant[3], monsieur, l'emportera
540 Sur toute la vertu que votre fille aura.

ORGON

Cessez de m'interrompre, et songez à vous taire,
Sans mettre votre nez où vous n'avez que faire.

---

1. *confit en* : tout imprégné de.
2. *sot* : s'agissant d'un homme marié, « cocu » (cf. Furetière).
3. *ascendant* : horoscope.

DORINE

Je n'en parle, monsieur, que pour votre intérêt.
(Elle l'interrompt toujours au moment qu'il se retourne pour parler à sa fille.)

ORGON

C'est prendre trop de soin : taisez-vous, s'il vous plaît.

DORINE

545 Si l'on ne vous aimait...

ORGON

Je ne veux pas qu'on m'aime.

DORINE

Et je veux vous aimer, monsieur, malgré vous-même.

ORGON

Ah !

DORINE

Votre honneur m'est cher, et je ne puis souffrir
Qu'aux brocards d'un chacun vous alliez vous offrir.

ORGON

Vous ne vous tairez point ?

DORINE

C'est une conscience[1]
550 Que de vous laisser faire une telle alliance.

ORGON

Te tairas-tu, serpent, dont les traits effrontés... ?

DORINE

Ah ! vous êtes dévot, et vous vous emportez ?

ORGON

Oui, ma bile s'échauffe à toutes ces fadaises,
Et tout résolument je veux que tu te taises.

DORINE

555 Soit. Mais, ne disant mot, je n'en pense pas moins.

1. *conscience* : cas de conscience.

ORGON

Pense, si tu le veux ; mais applique tes soins
À ne m'en point parler, ou... Suffit.
(Se retournant vers sa fille.)
Comme sage,
J'ai pesé mûrement toutes choses.

DORINE

J'enrage
De ne pouvoir parler.
(Elle se tait lorsqu'il tourne la tête.)

ORGON

Sans être damoiseau,
560 Tartuffe est fait de sorte...

DORINE

Oui, c'est un beau museau.

ORGON

Que quand tu n'aurais même aucune sympathie
Pour tous les autres dons...
(Il se tourne devant elle, et la regarde les bras croisés.)

DORINE

La voilà bien lotie !
Si j'étais en sa place, un homme assurément
Ne m'épouserait pas de force impunément ;
565 Et je lui ferais voir bientôt après la fête
Qu'une femme a toujours une vengeance prête.

ORGON

Donc, de ce que je dis on ne fera nul cas ?

DORINE

De quoi vous plaignez-vous ? Je ne vous parle pas.

ORGON

Qu'est-ce que tu fais donc ?

DORINE

Je me parle à moi-même.

ORGON

570 Fort bien. Pour châtier son insolence extrême,
Il faut que je lui donne un revers de ma main.
(Il se met en posture de lui donner un soufflet, et Dorine, à chaque coup d'œil qu'il jette, se tient droite sans parler.)

Ma fille, vous devez approuver mon dessein...
Croire que le mari... que j'ai su vous élire...
(À Dorine.)
Que ne te parles-tu?

DORINE

Je n'ai rien à me dire.

ORGON

575 Encore un petit mot.

DORINE

Il ne me plaît pas, moi.

ORGON

Certes, je t'y guettais.

DORINE

Quelque sotte, ma foi[1] !

ORGON

Enfin, ma fille, il faut payer d'obéissance,
Et montrer pour mon choix entière déférence.

DORINE, *en s'enfuyant.*

Je me moquerais fort de prendre un tel époux.
(Il lui veut donner un soufflet et la manque.)

ORGON

580 Vous avez là, ma fille, une peste avec vous,
Avec qui sans péché je ne saurais plus vivre.
Je me sens hors d'état maintenant de poursuivre :
Ses discours insolents m'ont mis l'esprit en feu,
Et je vais prendre l'air pour me rasseoir[2] un peu.

---

1. *quelque sotte, ma foi !* : il faudrait que je fusse quelque sotte, ma foi (pour m'y laisser prendre).
2. *me rasseoir* : retrouver mon calme.

Questions

Compréhension

Scène 1

1. *Vous semble-t-il qu'il y ait des remèdes possibles au malheur de Mariane ? Pour quelles raisons ?*

2. ***D'un texte à l'autre :*** *comparez cette scène au* Malade imaginaire *(I, 3). Peut-on en conséquence considérer cette scène comme tragique ?*

3. *Ce projet de marier Mariane à Tartuffe, est-il choquant parce qu'il serait socialement inacceptable, ou parce qu'il manquerait d'humanité ?*

4. *Représenterait-il pour Tartuffe une ascension sociale ?*

Scène 2

5. *Avec qui et contre qui rit-on ? Qui dirige cette scène ? Quelle est donc la fonction de Dorine ? En quoi diffère-t-elle d'Orgon ? De quoi rit-on ?*

Écriture

Scènes 1 et 2

6. *Analysez les procédés comiques dans la situation et le rôle d'Orgon.*

7. *Quelle est l'utilité des vers 427-430 ?*

Scène 2

8. *Quelles sont les phases successives du mouvement• dramatique ? Quels indices dans le ton, les procédés et les tournures du texte, didascalies• comprises, rendent sensibles leur succession ?*

9. ***La dramaturgie comique :*** *analysez la situation et les procédés de comédie mis en œuvre dans les rôles de Dorine et d'Orgon.*

10. ***Le comique de mots :*** *dans cette joute oratoire, observez la longueur, l'enchaînement des répliques, le jeu des rimes et l'opposition des registres de langue employés par Orgon et Dorine : analysez leur effet comique.*

Lise Delamare (Dorine) et Paul-Émile Deiber (Orgon), à la Comédie-Française (1962).

SCÈNE 3. DORINE, MARIANE

DORINE

585 Avez-vous donc perdu, dites-moi, la parole,
Et faut-il qu'en ceci je fasse votre rôle ?
Souffrir qu'on vous propose un projet insensé,
Sans que du moindre mot vous l'ayez repoussé !

MARIANE

Contre un père absolu que veux-tu que je fasse ?

DORINE

590 Ce qu'il faut pour parer une telle menace.

MARIANE

Quoi ?

DORINE

Lui dire qu'un cœur n'aime point par autrui,
Que vous vous mariez pour vous, non pas pour lui,
Qu'étant celle pour qui se fait toute l'affaire,
C'est à vous, non à lui, que le mari doit plaire,
595 Et que si son Tartuffe est pour lui si charmant,
Il le peut épouser sans nul empêchement.

MARIANE

Un père, je l'avoue, a sur nous tant d'empire,
Que je n'ai jamais eu la force de rien dire.

DORINE

Mais raisonnons. Valère a fait pour vous des pas[1] :
600 L'aimez-vous, je vous prie, ou ne l'aimez-vous pas ?

MARIANE

Ah ! qu'envers mon amour ton injustice est grande,
Dorine ! me dois-tu faire cette demande ?
T'ai-je pas là-dessus ouvert cent fois mon cœur,
Et sais-tu pas pour lui jusqu'où va mon ardeur ?

DORINE

605 Que sais-je si le cœur a parlé par la bouche,
Et si c'est tout de bon que cet amant vous touche ?

1. *des pas* : des démarches.

MARIANE
Tu me fais un grand tort, Dorine, d'en douter,
Et mes vrais sentiments ont su trop éclater.

DORINE
Enfin, vous l'aimez donc ?

MARIANE
Oui, d'une ardeur extrême.

DORINE
610 Et selon l'apparence il vous aime de même ?

MARIANE
Je le crois.

DORINE
Et tous deux brûlez également
De vous voir mariés ensemble ?

MARIANE
Assurément.

DORINE
Sur cette autre union quelle est donc votre attente ?

MARIANE
De me donner la mort si l'on me violente.

DORINE
615 Fort bien : c'est un recours où je ne songeais pas ;
Vous n'avez qu'à mourir pour sortir d'embarras ;
Le remède sans doute est merveilleux. J'enrage
Lorsque j'entends tenir ces sortes de langage.

MARIANE
Mon Dieu ! de quelle humeur, Dorine, tu te rends !
620 Tu ne compatis point aux déplaisirs des gens.

DORINE
Je ne compatis point à qui dit des sornettes
Et dans l'occasion mollit comme vous faites.

MARIANE
Mais que veux-tu ? si j'ai de la timidité...

DORINE
Mais l'amour dans un cœur veut de la fermeté.

MARIANE

625 Mais n'en gardé-je pas pour les feux de Valère?
Et n'est-ce pas à lui de m'obtenir d'un père?

DORINE

Mais quoi? si votre père est un bourru fieffé[1],
Qui s'est de son Tartuffe entièrement coiffé
Et manque à l'union qu'il avait arrêtée,
630 La faute à votre amant doit-elle être imputée?

MARIANE

Mais par un haut refus et d'éclatants mépris
Ferai-je dans mon choix voir un cœur trop épris?
Sortirai-je pour lui, quelque éclat dont il brille,
De la pudeur du sexe et du devoir de fille?
635 Et veux-tu que mes feux par le monde étalés...?

DORINE

Non, non, je ne veux rien. Je vois que vous voulez
Être à monsieur Tartuffe; et j'aurais, quand j'y pense,
Tort de vous détourner d'une telle alliance.
Quelle raison aurais-je à combattre vos vœux?
640 Le parti de soi-même est fort avantageux.
Monsieur Tartuffe! oh! oh! n'est-ce rien qu'on propose?
Certes, monsieur Tartuffe, à bien prendre la chose,
N'est pas un homme, non, qui se mouche du pié,
Et ce n'est pas peu d'heur[2] que d'être sa moitié.
645 Tout le monde déjà de gloire le couronne;
Il est noble chez lui, bien fait de sa personne;
Il a l'oreille rouge et le teint bien fleuri :
Vous vivrez trop contente avec un tel mari.

MARIANE

Mon Dieu!...

DORINE

Quelle allégresse aurez-vous dans votre âme,
650 Quand d'un époux si beau vous vous verrez la femme!

---

1. *bourru fieffé* : homme d'un commerce difficile, qui possède comme en fief l'extravagance et la mauvaise humeur.
2. *heur* : bon *heur*.

MARIANE
Ha ! cesse, je te prie, un semblable discours,
Et contre cet hymen ouvre-moi du secours[1],
C'en est fait, je me rends, et suis prête à tout faire.

DORINE
Non, il faut qu'une fille obéisse à son père,
655 Voulût-il lui donner un singe pour époux.
Votre sort est fort beau : de quoi vous plaignez-vous ?
Vous irez par le coche en sa petite ville,
Qu'en oncles et cousins vous trouverez fertile,
Et vous vous plairez fort à les entretenir.
660 D'abord[2] chez le beau monde on vous fera venir ;
Vous irez visiter, pour votre bienvenue,
Madame la baillive[3] et madame l'élue[4],
Qui d'un siège pliant vous feront honorer.
Là, dans le carnaval, vous pourrez espérer
665 Le bal et la grand-bande[5], à savoir deux musettes,
Et parfois Fagotin[6] et les marionnettes,
Si pourtant votre époux...

MARIANE
Ah ! tu me fais mourir.
De tes conseils plutôt songe à me secourir.

DORINE
Je suis votre servante.

MARIANE
Eh ! Dorine, de grâce...

DORINE
670 Il faut, pour vous punir, que cette affaire passe.

1. *ouvre-moi du secours* : ouvre-moi une issue pour échapper à cette situation.
2. *d'abord* : aussitôt (parce qu'elle est parisienne !).
3. *baillive* : la femme du bailli, lequel était nommé pour rendre (bailler) la justice.
4. *élue* : femme de l'« élu », lequel était élu par les états généraux pour connaître certains litiges fiscaux.
5. *la grand-bande* : les vingt-quatre violons de la chambre du roi... (en fait, « deux musettes », ou cornemuses...)
6. *Fagotin* : singe savant.

MARIANE

Ma pauvre fille !

DORINE

Non.

MARIANE

Si mes vœux déclarés...

DORINE

Point : Tartuffe est votre homme, et vous en tâterez.

MARIANE

Tu sais qu'à toi toujours je me suis confiée :
Fais-moi...

DORINE

Non, vous serez, ma foi ! tartuffiée.

MARIANE

675 Hé bien ! puisque mon sort ne saurait t'émouvoir,
Laisse-moi désormais toute à mon désespoir :
C'est de lui que mon cœur empruntera de l'aide,
Et je sais de mes maux l'infaillible remède.
(Elle veut s'en aller.)

DORINE

Hé ! là, là, revenez. Je quitte mon courroux.
680 Il faut, nonobstant tout, avoir pitié de vous.

MARIANE

Vois-tu, si l'on m'expose à ce cruel martyre,
Je te le dis, Dorine, il faudra que j'expire.

DORINE

Ne vous tourmentez point. On peut adroitement
Empêcher... Mais voici Valère, votre amant.

SCÈNE 4. VALÈRE, MARIANE, DORINE

VALÈRE

685 On vient de débiter, madame, une nouvelle
Que je ne savais pas, et qui sans doute est belle.

MARIANE

Quoi ?

VALÈRE

Que vous épousez Tartuffe.

MARIANE

Il est certain
Que mon père s'est mis en tête ce dessein.

VALÈRE

Votre père, madame...

MARIANE

A changé de visée :
690 La chose vient par lui de m'être proposée.

VALÈRE

Quoi ? sérieusement ?

MARIANE

Oui, sérieusement.
Il s'est pour cet hymen déclaré hautement.

VALÈRE

Et quel est le dessein où votre âme s'arrête,
Madame ?

MARIANE

Je ne sais.

VALÈRE

La réponse est honnête.
695 Vous ne savez ?

MARIANE

Non.

VALÈRE

Non ?

MARIANE

Que me conseillez-vous ?

VALÈRE
Je vous conseille, moi, de prendre cet époux.

MARIANE
Vous me le conseillez ?

VALÈRE
Oui.

MARIANE
Tout de bon ?

VALÈRE
Sans doute
Le choix est glorieux, et vaut bien qu'on l'écoute.

MARIANE
Hé bien ! c'est un conseil, monsieur, que je reçois.

VALÈRE
700 Vous n'aurez pas grand-peine à le suivre, je crois.

MARIANE
Pas plus qu'à le donner en a souffert votre âme.

VALÈRE
Moi, je vous l'ai donné pour vous plaire, madame.

MARIANE
Et moi, je le suivrai pour vous faire plaisir.

DORINE, *à part.*
Voyons ce qui pourra de ceci réussir[1].

VALÈRE
705 C'est donc ainsi qu'on aime ? Et c'était tromperie
Quand vous...

MARIANE
Ne parlons point de cela, je vous prie.
Vous m'avez dit tout franc que je dois accepter
Celui que pour époux on me veut présenter :
Et je déclare, moi, que je prétends le faire,
710 Puisque vous m'en donnez le conseil salutaire.

1. *réussir* : résulter.

VALÈRE

Ne vous excusez point sur[1] mes intentions.
Vous aviez pris déjà vos résolutions ;
Et vous vous saisissez d'un prétexte frivole
Pour vous autoriser à manquer de parole.

MARIANE

715 Il est vrai, c'est bien dit.

VALÈRE

Sans doute ; et votre cœur
N'a jamais eu pour moi de véritable ardeur.

MARIANE

Hélas ! permis à vous d'avoir cette pensée.

VALÈRE

Oui, oui, permis à moi ; mais mon âme offensée
Vous préviendra[2] peut-être en un pareil dessein ;
720 Et je sais où porter et mes vœux et ma main.

MARIANE

Ah ! je n'en doute point ; et les ardeurs qu'excite
Le mérite...

VALÈRE

Mon Dieu, laissons là le mérite :
J'en ai fort peu sans doute, et vous en faites foi.
Mais j'espère aux bontés qu'une autre aura pour moi,
725 Et j'en sais de qui l'âme, à ma retraite ouverte,
Consentira sans honte à réparer ma perte.

MARIANE

La perte n'est pas grande ; et de ce changement
Vous vous consolerez assez facilement.

VALÈRE

J'y ferai mon possible, et vous le pouvez croire.
730 Un cœur qui nous oblige engage notre gloire[3] ;
Il faut à l'oublier mettre aussi tous nos soins :

1. *sur* : en prenant prétexte de.
2. *préviendra* : devancera.
3. *gloire* : amour-propre.

Si l'on n'en vient à bout, on le doit feindre au moins ;
Et cette lâcheté jamais ne se pardonne,
De montrer de l'amour pour qui nous abandonne.

MARIANE
735 Ce sentiment, sans doute, est noble et relevé.

VALÈRE
Fort bien ; et d'un chacun il doit être approuvé.
Hé quoi ? vous voudriez qu'à jamais dans mon âme
Je gardasse pour vous les ardeurs de ma flamme,
Et vous visse, à mes yeux, passer en d'autres bras,
740 Sans mettre ailleurs un cœur dont vous ne voulez pas ?

MARIANE
Au contraire : pour moi, c'est ce que je souhaite ;
Et je voudrais déjà que la chose fût faite.

VALÈRE
Vous le voudriez ?

MARIANE
Oui.

VALÈRE
C'est assez m'insulter,
Madame ; et de ce pas je vais vous contenter.
(Il fait un pas pour s'en aller et revient toujours.)

MARIANE
745 Fort bien.

VALÈRE
Souvenez-vous au moins que c'est vous-même
Qui contraignez mon cœur à cet effort extrême.

MARIANE
Oui.

VALÈRE
Et que le dessein que mon âme conçoit
N'est rien qu'à votre exemple.

MARIANE
À mon exemple, soit.

VALÈRE
Suffit : vous allez être à point nommé servie.

MARIANE
750 Tant mieux.

VALÈRE
Vous me voyez, c'est pour toute ma vie.

MARIANE
À la bonne heure.

VALÈRE
(Il s'en va ; et lorsqu'il est vers la porte, il se retourne.)
Euh ?

MARIANE
Quoi ?

VALÈRE
Ne m'appelez-vous pas ?

MARIANE
Moi ? Vous rêvez.

VALÈRE
Hé bien ! je poursuis donc mes pas.
Adieu, madame.

MARIANE
Adieu, monsieur.

DORINE
Pour moi, je pense
Que vous perdez l'esprit par cette extravagance ;
755 Et je vous ai laissé tout du long quereller,
Pour voir où tout cela pourrait enfin aller.
Holà ! seigneur Valère.
(Elle va l'arrêter par le bras, et lui, fait mine de grande résistance.)

VALÈRE
Hé ! que veux-tu, Dorine ?

DORINE
Venez ici.

VALÈRE
Non, non, le dépit me domine.
Ne me détourne point de ce qu'elle a voulu.

DORINE
760 Arrêtez.

VALÈRE
Non, vois-tu ? c'est un point résolu.

DORINE
Ah !

MARIANE
Il souffre à me voir, ma présence le chasse,
Et je ferai bien mieux de lui quitter la place.

DORINE *(Elle quitte Valère et court à Mariane.)*
À l'autre. Où courez-vous ?

MARIANE
Laisse.

DORINE
Il faut revenir.

MARIANE
Non, non, Dorine ; en vain tu veux me retenir.

VALÈRE
765 Je vois bien que ma vue est pour elle un supplice,
Et sans doute il vaut mieux que je l'en affranchisse.

DORINE *(Elle quitte Mariane et court à Valère.)*
Encor ? Diantre soit fait de vous[1] si je le veux !
Cessez ce badinage, et venez ça tous deux.
(Elle les tire l'un et l'autre.)

VALÈRE
Mais quel est ton dessein ?

MARIANE
Qu'est-ce que tu veux faire ?

1. *diantre soit fait de vous... :* « diantre » est une déformation de « diable ». Exclamation d'exaspération de Dorine – « allez au diable ! » –, assortie d'une restriction mentale, hypocrite et superstitieuse : « Que le diable vous emporte ! »... (si j'y consens, – mais je me garde bien de prononcer effectivement la malédiction...).

DORINE
770 Vous bien remettre ensemble, et vous tirer d'affaire.
(À Valère.)
Êtes-vous fou d'avoir un pareil démêlé ?

VALÈRE
N'as-tu pas entendu comme elle m'a parlé ?

DORINE, *à Mariane.*
Êtes-vous folle, vous, de vous être emportée ?

MARIANE
N'as-tu pas vu la chose, et comme il m'a traitée ?

DORINE, *à Valère.*
775 Sottise des deux parts. Elle n'a d'autre soin
Que de se conserver à vous, j'en suis témoin.
(À Mariane.)
Il n'aime que vous seule, et n'a point d'autre envie
Que d'être votre époux ; j'en réponds sur ma vie.

MARIANE
Pourquoi donc me donner un semblable conseil ?

VALÈRE
780 Pourquoi m'en demander sur un sujet pareil ?

DORINE
Vous êtes fous tous deux. Çà, la main, l'un et l'autre.
Allons, vous.

VALÈRE, *en donnant sa main à Dorine.*
À quoi bon ma main ?

DORINE
Ah ! çà, la vôtre.

MARIANE, *en donnant aussi sa main.*
De quoi sert tout cela ?

DORINE
Mon Dieu ! vite, avancez.
Vous vous aimez tous deux plus que vous ne pensez.

VALÈRE
785 Mais ne faites donc point les choses avec peine,
Et regardez un peu les gens sans nulle haine.
(Mariane tourne l'œil sur Valère et fait un petit souris.)

DORINE
À vous dire le vrai, les amants sont bien fous !

VALÈRE
Ho çà ! n'ai-je pas lieu de me plaindre de vous ?
Et, pour n'en point mentir, n'êtes-vous pas méchante
790 De vous plaire à me dire une chose affligeante ?

MARIANE
Mais vous, n'êtes-vous pas l'homme le plus ingrat... ?

DORINE
Pour une autre saison laissons tout ce débat
Et songeons à parer ce fâcheux mariage.

MARIANE
Dis-nous donc quels ressorts il faut mettre en usage.

DORINE
795 Nous en ferons agir de toutes les façons.
Votre père se moque, et ce sont des chansons ;
Mais pour vous, il vaut mieux qu'à son extravagance
D'un doux consentement vous prêtiez l'apparence,
Afin qu'en cas d'alarme il vous soit plus aisé
800 De tirer en longueur cet hymen proposé.
En attrapant du temps, à tout on remédie.
Tantôt vous payerez[1] de quelque maladie,
Qui viendra tout à coup et voudra des délais ;
Tantôt vous payerez de présages mauvais :
805 Vous aurez fait d'un mort la rencontre fâcheuse,
Cassé quelque miroir, ou songé d'eau bourbeuse.
Enfin le bon de tout c'est qu'à d'autres qu'à lui
On ne vous peut lier, que[2] vous ne disiez « oui ».
Mais pour mieux réussir, il est bon, ce me semble,
810 Qu'on ne vous trouve point tous deux parlant ensemble.
(À Valère.)
Sortez, et sans tarder, employez vos amis,
Pour vous faire tenir[3] ce qu'on vous a promis.
Nous allons réveiller les efforts de son frère,

1. *vous payerez* : vous prétexterez.
2. *que* : sans que.
3. *tenir* : obtenir.

Et dans notre parti jeter la belle-mère.
815 Adieu.

VALÈRE, *à Mariane.*

Quelques efforts que nous préparions tous,
Ma plus grande espérance, à vrai dire, est en vous.

MARIANE, *à Valère.*

Je ne vous réponds pas des volontés d'un père ;
Mais je ne serai point à d'autre qu'à Valère.

VALÈRE

Que vous me comblez d'aise ! Et quoi que puisse oser...

DORINE

820 Ah ! jamais les amants ne sont las de jaser.
Sortez, vous dis-je.

VALÈRE *(Il fait un pas et revient.)*

Enfin...

DORINE

Quel caquet est le vôtre !
(Les poussant chacun par l'épaule.)
Tirez de cette part ; et vous, tirez de l'autre.

Béatrice Agenin et Christiane Cohendy, mise en scène de Marcel Maréchal, Théâtre de la Criée (1991).

Questions

Compréhension

Scène 3

1. *Quel est le mouvement de la scène ? Qui le conduit ?*

Scène 4

2. *Quel est le mouvement de la scène et la fonction de Dorine dans chacune de ses phases ?*

Ensemble de l'acte II

3. *En quoi le deuxième acte ne forme-t-il qu'un seul mouvement• dramatique ? Quels sont le problème et le couple de personnages ici en jeu ? À quel vers (et sur quel mouvement scénique) ce problème est-il entré dans l'action ?*
4. *Quelles séquences• successives distingue-t-on néanmoins fort clairement à l'intérieur de ce mouvement ?*
5. *Dans la plupart de ces scènes, quel est le meneur de jeu ?*
6. *L'action, par un nouveau péril•, a-t-elle changé de cours quand le rideau se relève ?*
7. **Conclusion :** *comment se fait l'enchaînement avec l'acte précédent ? Qu'est-ce que Molière privilégie par rapport à la division en actes ?*
8. *L'enjeu dramatique ici présent est-il un hors-d'œuvre ou bien s'inscrit-il dans l'axe principal de l'intrigue ? Vous pouvez, par exemple, rechercher dans la suite de la pièce s'il y a des scènes essentielles où cet enjeu reste en suspens. Vous pouvez aussi vous demander comment ce problème (cf. par ex. le v. 218) se rattache à celui,* symétrique, *du couple Orgon-Tartuffe, et quelle véritable raison pousse Orgon à agir ainsi (cf. v. 441-444; 454 [attention au dernier adjectif possessif !]; v. 595-596; mais aussi cf. v. 185-186, 189-190, 195.)*

Écriture

Scène 3

9. *Caractérisez les intonations successives de Dorine.*
10. *Pourquoi Molière accumule-t-il les « mais » à l'attaque des vers 623-632 ?*

11. *Dans quelles expressions le ton et les propos de Mariane confinent-ils au tragique ? Ce ton est-il réellement tragique, ou parodie-t-il seulement le tragique ? Par quels indices nombreux et divers le texte permet-il de faire la discrimination ?*

12. *Précisez à partir de cette scène la fonction dramaturgique• que Molière assigne à Dorine dans la pièce.*

13. *Ne risque-t-on pas ici de sortir des limites du genre ? De quel(s) genre(s) semble-t-on se rapprocher ? Par quels procédés, propres à l'écriture dramaturgique ou à la comédie, Molière déjoue-t-il cette difficulté ? (Demandez-vous, par exemple, à quel personnage le spectateur peut s'identifier, et pourquoi.)*

14. *« Vous serez tartuffiée » : pourquoi le mot est-il efficace ? N'est-il pas paradoxal ?*

15. *Vers 657-667 : le portrait d'Orante (v. 121-140) était une esquisse crayonnée en marge préfigurant Arsinoé dans* Le Misanthrope, *de même cette caricature de la vie provinciale annonce le thème d'une pièce future : laquelle ? Quelle conclusion en tirez-vous sur la création chez Molière ?*

Scène 4

16. ***D'un texte à l'autre :*** *quel nom donne-t-on au théâtre à ce type de situation ? Cherchez-en d'autres exemples chez Molière et d'autres auteurs. Cependant, quelle singularité puissante renouvelle ici le traitement et l'utilisation de ce motif ?*

17. ***Les jeux de scène :*** *observez les didascalies•, ainsi que les gestes qu'implique le dialogue.*
La psychologie : *quel sentiment anime cette joute ?*
L'articulation des gestes et des mots : *montrez que la raillerie de l'auteur passe par leur fine conjonction.*

18. *Quels procédés remarquables caractérisent ici l'enchaînement des répliques ? Quelle est leur fonction ?*

Bilan

L'action et les personnages

• *Ce que nous savons*

L'exposition se poursuit

Dorine n'est pas seulement une soubrette diseuse de vérités, Molière lui assigne aussi la fonction d'obstacle à la volonté d'Orgon.

Les portraits de Mariane — timide mais secrète — et surtout d'Orgon — littéralement possédé — se dessinent nettement désormais.

D'ailleurs, cette exposition n'est toujours pas terminée : nous n'avons pas encore vu Tartuffe sur scène.

L'action a progressé

Une menace, jusqu'alors virtuelle, s'est concrétisée : le mariage de Mariane est bel et bien compromis par la volonté d'Orgon. La perturbation de la maison par un intrus se confirme. Avec ce mariage, le parasite• commence son ascension sociale.

Cette menace que fait peser Orgon sur le mariage de Mariane révèle la volonté fondamentale du protagoniste• : le but de sa quête• est d'incorporer Tartuffe à sa maison, d'annuler toute distance entre Tartuffe et lui, jusqu'à se confondre avec l'objet• de son désir. Le mariage de Mariane et Valère restera compromis tant qu'Orgon n'aura pas changé de volonté. Or ce retournement ne sera définitivement établi que dans les derniers vers de la pièce (v. 1956-1962).

L'échec de Dorine à conjurer la menace de dissolution du couple Mariane-Valère renforce le lien par lequel Orgon cherche à s'unir à Tartuffe, et en mesure l'intensité.

• *À quoi nous attendre ?*

Pour l'instant, la volonté d'Orgon triomphe. Elle semble inébranlable, toute opposition ne faisant que la renforcer : il va donc bien falloir s'adresser à celui qui la meut en première instance : Tartuffe.

*Or, l'obstination d'Orgon doit faire agir à son tour Damis (cf. v. 220-223), lequel, de surcroît, en digne fils d'*Orgon*, est coléreux (cf. v. 45-48, par ex.) : les vraisemblances• sont donc parfaitement respectées, grâce à ces préparations.*

Quoi qu'il en soit, cette action ne pourra se dénouer que si l'on parvient à détromper Orgon, à le « détartuffier » ; l'enjeu principal s'affirme.
La crainte et l'intérêt sont d'autant plus vifs que l'on ne sait toujours pas à quoi ressemble Tartuffe : sa venue ne semble guère pouvoir être longtemps différée.

L'écriture

« L'acte de Dorine » pourrait sembler n'être qu'un pur divertissement de comédie tant il se signale par sa tonalité constamment comique, et par son rythme :
— enchaînement sans repos de situations toujours fortement conflictuelles et même agitées : la discorde apparue lors de la première scène se propage et s'aggrave ;
— accumulation incessante de situations et de jeux de scène comiques qui font de l'acte un ballet étourdissant : comique de situation, quiproquos (v. 427-444 ; 685-770) suivis de renversements (v. 445-454 ; 771-794), comique de gestes et de répétition (vers et didascalies 543, 558, 563, 571-579) ;
— enchaînement accéléré des répliques que raccourcit tantôt la stichomythie• (v. 463-467 ; v. 551-552...), tantôt la multiplication des interruptions, le vers éclatant en répliques réparties d'hémistiche en hémistiche (v. 574-576...), ou même en monosyllabes alternés (v. 445), avec, de surcroît, le claquement de bons mots à la rime (v. 559-560) ;
— « cliquetis rhétorique » d'une argumentation qui étourdit Orgon : interrogations oratoires (ou fausses interrogations) (v. 504-506), répétition des « que » (507-512).

ACTE III

SCÈNE PREMIÈRE. DAMIS, DORINE

DAMIS

Que la foudre sur l'heure achève mes destins,
Qu'on me traite partout du plus grand des faquins[1]
825 S'il est aucun respect ni pouvoir qui m'arrête,
Et si je ne fais pas quelque coup de ma tête!

DORINE

De grâce, modérez un tel emportement :
Votre père n'a fait qu'en parler simplement,
On n'exécute pas tout ce qui se propose,
830 Et le chemin est long du projet à la chose.

DAMIS

Il faut que de ce fat[2] j'arrête les complots,
Et qu'à l'oreille un peu je lui dise deux mots.

DORINE

Ha! tout doux! Envers lui, comme envers votre père,
Laissez agir les soins de votre belle-mère.
835 Sur l'esprit de Tartuffe elle a quelque crédit;
Il se rend complaisant à tout ce qu'elle dit,
Et pourrait bien avoir douceur de cœur pour elle.
Plût à Dieu qu'il fût vrai! la chose serait belle.
Enfin votre intérêt[3] l'oblige à le mander :
840 Sur l'hymen qui vous trouble elle veut le sonder.
Savoir ses sentiments, et lui faire connaître
Quels fâcheux démêlés il pourra faire naître,
S'il faut qu'à ce dessein il prête quelque espoir.
Son valet dit qu'il prie, et je n'ai pu le voir;
845 Mais ce valet m'a dit qu'il s'en allait descendre.
Sortez donc, je vous prie, et me laissez l'attendre.

---

1. *faquin* : portefaix, donc vaurien.
2. *fat* : sot, sans esprit.
3. *votre intérêt* : l'intérêt qu'elle vous porte.

DAMIS
Je puis être présent à tout cet entretien.

DORINE
Point. Il faut qu'ils soient seuls.

DAMIS
Je ne lui dirai rien.

DORINE
Vous vous moquez : on sait vos transports[1] ordinaires
850 Et c'est le vrai moyen de gâter les affaires.
Sortez.

DAMIS
Non : je veux voir, sans me mettre en courroux.

DORINE
Que vous êtes fâcheux ! Il vient. Retirez-vous.
(Damis va se cacher dans un cabinet qui est au fond du théâtre.)

SCÈNE 2. TARTUFFE, LAURENT, DORINE

TARTUFFE, *apercevant Dorine.*
Laurent, serrez ma haire[2] avec ma discipline[3],
Et priez que toujours le Ciel vous illumine.
855 Si l'on vient pour me voir, je vais aux prisonniers
Des aumônes que j'ai partager les deniers.

DORINE
Que d'affectation et de forfanterie !

TARTUFFE
Que voulez-vous ?

DORINE
Vous dire...

1. *transports* : réactions émotives et soudaines.
2. *haire* : chemise de crin, portée pour se mortifier.
3. *discipline* : fouet, cilice.

TARTUFFE *(Il tire un mouchoir de sa poche.)*
Ah ! mon Dieu, je vous prie,
Avant que de parler, prenez-moi ce mouchoir.

DORINE
860 Comment ?

TARTUFFE
Couvrez ce sein que je ne saurais voir :
Par de pareils objets les âmes sont blessées,
Et cela fait venir de coupables pensées.

DORINE
Vous êtes donc bien tendre à la tentation,
Et la chair sur vos sens fait grande impression !
865 Certes, je ne sais pas quelle chaleur vous monte :
Mais à convoiter, moi, je ne suis point si prompte,
Et je vous verrais nu du haut jusques en bas,
Que toute votre peau ne me tenterait pas.

TARTUFFE
Mettez dans vos discours un peu de modestie,
870 Ou je vais sur-le-champ vous quitter la partie.

DORINE
Non, non, c'est moi qui vais vous laisser en repos,
Et je n'ai seulement qu'à vous dire deux mots.
Madame va venir dans cette salle basse[1],
Et d'un mot d'entretien vous demande la grâce.

TARTUFFE
875 Hélas ! très volontiers.

DORINE, *en soi-même.*
Comme il se radoucit !
Ma foi, je suis toujours pour ce que j'en ai dit.

TARTUFFE
Viendra-t-elle bientôt ?

DORINE
Je l'entends, ce me semble.
Oui, c'est elle en personne, et je vous laisse ensemble.

---

1. *salle basse* : salle du rez-de-chaussée.

Questions

Compréhension

Scène 1

1. *Situez l'acte dans la chronologie de la pièce : combien de temps s'est-il écoulé depuis le baisser du rideau ? Quelle heure peut-il être ?*

Scène 2

2. *Que signifie le fait que Tartuffe ait conservé un valet même au temps de sa détresse ? Dites, en vous appuyant sur des indices précis (v. 875, notamment), si Tartuffe commence ici à se dévoiler.*

Écriture

3. *Pourquoi l'entrée de Tartuffe a-t-elle été retardée jusqu'ici ?*

4. ***L'art des préparations** : rapprochez les vers 860 et 917-921.*

Hypocrisie et théâtralité

5. *Quelle est l'importance de la didascalie•* « apercevant Dorine » ? *Pour combien de publics joue Tartuffe ? Pouvons-nous savoir qu'il* joue ? *Rapprochez les vers 191-194 ou 234, 238-240 et 255 des vers 853-857 : quelles contradictions révèlent-ils chez Tartuffe ? Comparez la « science• » que possède Dorine (cf. v. 857) sur la situation à ce que savent les autres personnages et le spectateur : qui en sait le plus ? Par quels indices le texte nous en assure-t-il ? Replacez cette inégalité du « savoir » des personnages et du spectateur dans le schéma de la communication théâtrale• : à quoi sert donc Dorine ?*

6. *Au total, à quel genre d'effet• assistons-nous ici ?*

7. *Laurent a-t-il un rôle développé ? En quoi pourtant aurait-il pu être utile à Molière, selon les usages du théâtre ? D'une façon plus générale, quels procédés et conventions usuels propres au théâtre auraient pu remplir la fonction que tient ici Dorine ? Pourquoi Molière n'y a-t-il pas eu recours ? Comment, pour sa part, un romancier eût-il pu procéder ?*

8. *Quels sont les procédés comiques de la scène 2 ? À quoi sert-elle, ici placée ?*

SCÈNE 3. ELMIRE, TARTUFFE

TARTUFFE

Que le Ciel à jamais par sa toute bonté
880 Et de l'âme et du corps vous donne la santé,
Et bénisse vos jours autant que le désire
Le plus humble de ceux que son amour inspire.

ELMIRE

Je suis fort obligée à ce souhait pieux ;
Mais prenons une chaise, afin d'être un peu mieux.

TARTUFFE

885 Comment de votre mal vous sentez-vous remise ?

ELMIRE

Fort bien ; et cette fièvre a bientôt quitté prise.

TARTUFFE

Mes prières n'ont pas le mérite qu'il faut
Pour avoir attiré cette grâce d'en haut ;
Mais je n'ai fait au Ciel nulle dévote instance[1]
890 Qui n'ait eu pour objet votre convalescence.

ELMIRE

Votre zèle pour moi s'est trop inquiété.

TARTUFFE

On ne peut trop chérir votre chère santé,
Et pour la rétablir j'aurais donné la mienne.

ELMIRE

C'est pousser bien avant la charité chrétienne,
895 Et je vous dois beaucoup pour toutes ces bontés.

TARTUFFE

Je fais bien moins pour vous que vous ne méritez.

ELMIRE

J'ai voulu vous parler en secret d'une affaire,
Et suis bien aise ici qu'aucun ne nous éclaire[2].

---

1. *instance* : prière instante, fervente.
2. *éclaire* : épie (cf. tenir la chandelle !).

TARTUFFE

J'en suis ravi de même, et sans doute il m'est doux,
900 Madame, de me voir seul à seul avec vous :
C'est une occasion qu'au Ciel j'ai demandée,
Sans que jusqu'à cette heure il me l'ait accordée.

ELMIRE

Pour moi, ce que je veux, c'est un mot d'entretien,
Où tout votre cœur s'ouvre, et ne me cache rien.

TARTUFFE

905 Et je ne veux aussi pour grâce singulière
Que montrer à vos yeux mon âme tout entière,
Et vous faire serment que les bruits[1] que j'ai faits
Des visites qu'ici reçoivent vos attraits
Ne sont pas envers vous l'effet d'aucune haine,
910 Mais plutôt d'un transport de zèle qui m'entraîne,
Et d'un pur mouvement...

ELMIRE

Je le prends bien aussi,
Et crois que mon salut vous donne ce souci.

TARTUFFE *(Il lui serre le bout des doigts.)*

Oui, madame, sans doute, et ma ferveur est telle...

ELMIRE

Ouf! vous me serrez trop.

TARTUFFE

C'est par excès de zèle.
915 De vous faire autre mal je n'eus jamais dessein,
Et j'aurais bien plutôt...
(Il lui met la main sur le genou.)

ELMIRE

Que fait là votre main?

TARTUFFE

Je tâte votre habit : l'étoffe en est moelleuse.

---

1. *bruits* : reproches bruyants, propres à susciter le scandale.

ELMIRE
Ah! de grâce, laissez, je suis fort chatouilleuse.
(Elle recule sa chaise, et Tartuffe rapproche la sienne.)

TARTUFFE, *maniant le fichu d'Elmire.*
Mon Dieu! que de ce point l'ouvrage est merveilleux!
920 On travaille aujourd'hui d'un air miraculeux;
Jamais, en toute chose, on n'a vu si bien faire.

ELMIRE
Il est vrai. Mais parlons un peu de notre affaire.
On tient que mon mari veut dégager sa foi
Et vous donner sa fille. Est-il vrai, dites-moi?

TARTUFFE
925 Il m'en a dit deux mots; mais, madame, à vrai dire,
Ce n'est pas le bonheur après quoi je soupire;
Et je vois autre part les merveilleux attraits
De la félicité qui fait tous mes souhaits.

ELMIRE
C'est que vous n'aimez rien des choses de la terre.

TARTUFFE
930 Mon sein n'enferme pas un cœur qui soit de pierre.

ELMIRE
Pour moi, je crois qu'au Ciel tendent tous vos soupirs,
Et que rien ici-bas n'arrête[1] vos désirs.

TARTUFFE
L'amour qui nous attache aux beautés éternelles
N'étouffe pas en nous l'amour des temporelles;
935 Nos sens facilement peuvent être charmés[2]
Des ouvrages parfaits que le Ciel a formés.
Ses attraits réfléchis brillent dans vos pareilles;
Mais il étale en vous ses plus rares merveilles :
Il a sur votre face épanché des beautés
940 Dont les yeux sont surpris, et les cœurs transportés,
Et je n'ai pu vous voir, parfaite créature,

1. *n'arrête* : ne retient, ne fixe.
2. *charmés* : envoûtés.

Sans admirer en vous l'auteur de la nature,
Et d'une ardente amour sentir mon cœur atteint,
Au[1] plus beau des portraits où lui-même il s'est peint.
945 D'abord j'appréhendai que cette ardeur secrète
Ne fût du noir esprit une surprise adroite[2] ;
Et même à fuir vos yeux mon cœur se résolut,
Vous croyant un obstacle à faire mon salut.
Mais enfin je connus, ô beauté toute[3] aimable,
950 Que cette passion peut n'être point coupable,
Que je puis l'ajuster avecque la pudeur,
Et c'est ce qui m'y fait abandonner mon cœur.
Ce m'est, je le confesse, une audace bien grande
Que d'oser de ce cœur vous adresser l'offrande ;
955 Mais j'attends en mes vœux tout de votre bonté,
Et rien des vains efforts de mon infirmité[4] ;
En vous est mon espoir, mon bien, ma quiétude,
De vous dépend ma peine ou ma béatitude[5],
Et je vais être enfin, par votre seul arrêt,
960 Heureux, si vous voulez, malheureux, s'il vous plaît.

ELMIRE

La déclaration est tout à fait galante,
Mais elle est, à vrai dire, un peu bien surprenante,
Vous deviez, ce me semble, armer mieux votre sein,
Et raisonner un peu sur un pareil dessein.
965 Un dévot comme vous, et que partout on nomme...

TARTUFFE

Ah ! pour être dévot, je n'en suis pas moins homme ;
Et lorsqu'on vient à voir vos célestes appas,
Un cœur se laisse prendre, et ne raisonne pas.
Je sais qu'un tel discours de moi paraît étrange ;
970 Mais, madame, après tout, je ne suis pas un ange ;
Et si vous condamnez l'aveu que je vous fais,

1. *au* : devant le.
2. *adroite* : se prononçait « adroète », d'où la rime.
3. *toute* : tout, sens adverbial (totalement). On ne distinguait pas encore *tout* adjectif de *tout* adverbe comme il est d'usage de le faire aujourd'hui, cf. « elle était *tout* entière... »
4. *infirmité* : faiblesse.
5. *béatitude* : la félicité éternelle, promise aux saints...

Vous devez vous en prendre à vos charmants[1] attraits.
Dès que j'en vis briller la splendeur plus qu'humaine,
De mon intérieur[2] vous fûtes souveraine ;
975 De vos regards divins l'ineffable douceur
Força la résistance où s'obstinait mon cœur ;
Elle surmonta tout, jeûnes, prières, larmes,
Et tourna tous mes vœux du côté de vos charmes.
Mes yeux et mes soupirs vous l'ont dit mille fois,
980 Et pour mieux m'expliquer j'emploie ici la voix.
Que si vous contemplez d'une âme un peu bénigne[3]
Les tribulations[4] de votre esclave indigne,
S'il faut que vos bontés veuillent me consoler
Et jusqu'à mon néant daignent se ravaler,
985 J'aurai toujours pour vous, ô suave merveille,
Une dévotion à nulle autre pareille.
Votre honneur avec moi ne court point de hasard,
Et n'a nulle disgrâce à craindre de ma part.
Tous ces galants de cour, dont les femmes sont folles,
990 Sont bruyants dans leurs faits et vains[5] dans leurs paroles,
De leurs progrès sans cesse on les voit se targuer ;
Ils n'ont point de faveurs qu'ils n'aillent divulguer,
Et leur langue indiscrète, en qui l'on se confie,
Déshonore l'autel où leur cœur sacrifie.
995 Mais les gens comme nous brûlent d'un feu discret,
Avec qui pour toujours on est sûr du secret :
Le soin que nous prenons de notre renommée
Répond de toute chose à la personne aimée,
Et c'est en nous qu'on trouve, acceptant notre cœur,
1000 De l'amour sans scandale et du plaisir sans peur.

ELMIRE

Je vous écoute dire, et votre rhétorique
En termes assez forts à mon âme s'explique.
N'appréhendez-vous point que je ne sois d'humeur

1. *charmants* : envoûtants.
2. *mon intérieur* : mon cœur, mes pensées.
3. *bénigne* : bienveillante.
4. *tribulations* : tourments, épreuves (vocabulaire religieux).
5. *vains* : vaniteux.

À dire à mon mari cette galante ardeur,
1005 Et que le prompt avis d'un amour de la sorte
Ne pût bien altérer l'amitié qu'il vous porte ?

TARTUFFE
Je sais que vous avez trop de bénignité[1],
Et que vous ferez grâce à ma témérité,
Que vous m'excuserez sur[2] l'humaine faiblesse
1010 Des violents transports d'un amour qui vous blesse,
Et considérerez, en regardant votre air,
Que l'on n'est pas aveugle, et qu'un homme est de chair.

ELMIRE
D'autres prendraient cela d'autre façon peut-être ;
Mais ma discrétion se veut faire paraître.
1015 Je ne redirai point l'affaire à mon époux ;
Mais je veux en revanche une chose de vous :
C'est de presser tout franc et sans nulle chicane
L'union de Valère avecque Mariane,
De renoncer vous-même à l'injuste pouvoir[3]
1020 Qui veut du bien d'un autre enrichir votre espoir,
Et...

Nelly Borgeaud (Elmire) et Roger Planchon (Tartuffe) au T.N.P. (1974).

1. *bénignité* : bienveillance.
2. *sur* : en prenant appui sur, en prenant en considération.
3. *pouvoir* : celui d'Orgon.

Questions

Compréhension

La scène dans l'action

1. *À qui l'initiative ? Quel problème, quel nouveau péril, quels personnages sont au centre de l'action ?*

2. *Comment ce qui est entrepris se rattache-t-il à l'ensemble de l'intrigue ?*

3. *Jusqu'à quand va durer le mouvement• qui s'amorce ? Quelles en seront les scènes essentielles ?*

4. *Combien de phases distinguez-vous dans la progression de cette scène ? Comment passe-t-on de l'une à l'autre ? D'où tire-t-elle son unité ?*

Tartuffe en action

5. *Enfin nous découvrons Tartuffe ! L'émotion est grande, mais provient-elle du comblement de notre attente, où de notre* surprise ? *(cf. v. 84, 201, 205-210, 234, 281-310, 835-837, 875-876).*

6. *Comment est-il habillé, et aux frais de qui ? (cf. question 2, p. 82).*

7. *Il semble cultivé : à quelles théories son argumentation fait-elle appel (cf.* Sources) ? *Ces idées sont-elles à la mode en 1669 ? Cette culture n'est-elle qu'un vernis ?*

8. *Quels ressorts psychologiques font agir Tartuffe (cf. v. 966, 1012, 989-995) ? Vous paraît-il adroit ?*

Elmire

9. *Quel est son but ? En quoi cette scène est-elle hardie ?*

10. *Elmire pourrait-elle être* tentée ? *L'est-elle ? Est-elle honnête• ou perverse ? Les bienséances• sont-elles respectées ?*

11. *En quoi Elmire se montre-t-elle habile ? À quel moment peut-on considérer qu'elle a la situation en main ? Faut-il en conclure que Tartuffe n'est pas aussi fin qu'on le pourrait penser ?*

12. *Dressez le bilan de l'action d'Elmire.*

Écriture

13. ***Utilisation de la scène :*** *combien de personnages participent à l'action ?*

14. ***Hypocrisie et théâtralité :*** *quels procédés nous révèlent la vraie nature de Tartuffe ? Comparez cette scène (par ex. les vers 910-914) avec les vers 281-310, puis 192-194 et 234 que vous aurez rapprochés des vers 202 et 853-857. Voir cependant la question 17.*

15. ***Le comique :*** *en quoi la situation est-elle comique ? Quelles sont les divers effets comiques produits au cours de cette scène ? La scène pouvait-elle se prolonger ?*

16. ***Rhétorique et théâtralité :*** *justifiez l'emploi alterné de la stichomythie• et de la tirade• dans cette scène.*

17. *Étudiez comment progresse l'argumentation dans la première tirade (v. 933-960). Sur quelle métaphore filée repose-t-elle ? Relevez le vocabulaire employé pour exprimer le comparé et le comparant. Rapprochez les vers 937-940 et 956-957 : quel glissement observez-vous d'un passage à l'autre ? Quelles différences entre les deux déclarations de Tartuffe (v. 933-960 et 966-1000) ? Importance du vers 966. Pourquoi l'argument du « secret » est-il celui que Tartuffe développe le plus longuement (v. 987-1000) ? Parvient-il en définitive à se défaire de son masque ?*

Mise en scène

18. ***Quel acteur pour Tartuffe ?*** *Le personnage est équivoque : est-il rustre ou cultivé, croyant ou libertin• ? Est-ce un fourbe machiavélique ou un faible tenté dans sa chair, un personnage de drame, ou un parasite• de comédie ? Identifiez ces possibilités d'interprétation à partir des mises en scène et des styles de jeu que vous présente l'iconographie. Essayez de justifier chacune d'elles en vous référant à des indices tirés du texte, et donnez votre avis.*

SCÈNE 4. DAMIS, ELMIRE, TARTUFFE

DAMIS, *sortant du petit cabinet où il s'était retiré.*

Non, madame, non : ceci doit se répandre.
J'étais en cet endroit, d'où j'ai pu tout entendre;
Et la bonté du Ciel m'y semble avoir conduit
Pour confondre l'orgueil d'un traître qui me nuit,
1025 Pour m'ouvrir une voie à prendre la vengeance
De son hypocrisie et de son insolence,
À détromper mon père, et lui mettre en plein jour
L'âme d'un scélérat qui vous parle d'amour.

ELMIRE

Non, Damis : il suffit qu'il se rende plus sage,
1030 Et tâche à mériter la grâce où je m'engage.
Puisque je l'ai promis, ne m'en dédites pas.
Ce n'est point mon humeur de faire des éclats :
Une femme se rit de sottises pareilles,
Et jamais d'un mari n'en trouble les oreilles.

DAMIS

1035 Vous avez vos raisons pour en user ainsi,
Et pour faire autrement j'ai les miennes aussi.
Le vouloir épargner est une raillerie;
Et l'insolent orgueil de sa cagoterie[1]
N'a triomphé que trop de mon juste courroux,
1040 Et que trop excité de désordre chez nous.
Le fourbe trop longtemps a gouverné mon père,
Et desservi mes feux avec ceux de Valère.
Il faut que du perfide il soit désabusé,
Et le Ciel pour cela m'offre un moyen aisé.
1045 De cette occasion je lui suis redevable,
Et pour la négliger, elle est trop favorable :
Ce serait mériter qu'il me la vînt ravir
Que de l'avoir en main et ne m'en pas servir.

ELMIRE

Damis...

1. *cagoterie* : bigoterie, fausse dévotion.

DAMIS

Non, s'il vous plaît, il faut que je me croie[1].

1050 Mon âme est maintenant au comble de sa joie ;
Et vos discours en vain prétendent m'obliger
À quitter le plaisir de me pouvoir venger.
Sans aller plus avant, je vais vuider d'affaire[2] ;
Et voici justement de quoi me satisfaire.

SCÈNE 5. ORGON, DAMIS, TARTUFFE, ELMIRE

DAMIS

1055 Nous allons régaler, mon père, votre abord[3]
D'un incident tout frais qui vous surprendra fort.
Vous êtes bien payé de toutes vos caresses,
Et monsieur d'un beau prix reconnaît vos tendresses.
Son grand zèle pour vous vient de se déclarer :
1060 Il ne va pas à moins qu'à vous déshonorer ;
Et je l'ai surpris là qui faisait à madame
L'injurieux aveu d'une coupable flamme.
Elle est d'une humeur douce et son cœur trop discret
Voulait à toute force en garder le secret ;
1065 Mais je ne puis flatter[4] une telle impudence
Et crois que vous la taire est vous faire une offense.

ELMIRE

Oui, je tiens que jamais de tous ces vains propos
On ne doit d'un mari traverser[5] le repos,
Que ce n'est point de là que l'honneur peut dépendre
1070 Et qu'il suffit pour nous de savoir nous défendre :
Ce sont mes sentiments ; et vous n'auriez rien dit,
Damis, si j'avais eu sur vous quelque crédit.

---

1. *il faut que je me croie* : il faut que j'agisse selon ce que je crois.
2. *vuider d'affaire* : vider la question, en finir avec cette affaire.
3. *abord* : arrivée.
4. *flatter* : ménager, avoir de l'indulgence pour.
5. *traverser* : se mettre en travers, faire obstacle à, perturber.

SCÈNE 6. ORGON, DAMIS, TARTUFFE

ORGON

Ce que je viens d'entendre, ô Ciel ! est-il croyable ?

TARTUFFE

Oui, mon frère, je suis un méchant, un coupable,
1075 Un malheureux pécheur, tout plein d'iniquité,
Le plus grand scélérat qui jamais ait été ;
Chaque instant de ma vie est chargé de souillures ;
Elle n'est qu'un amas de crimes et d'ordures ;
Et je vois que le Ciel, pour ma punition,
1080 Me veut mortifier[1] en cette occasion.
De quelque grand forfait qu'on me puisse reprendre
Je n'ai garde d'avoir l'orgueil de m'en défendre.
Croyez ce qu'on vous dit, armez votre courroux,
Et comme un criminel chassez-moi de chez vous :
1085 Je ne saurais avoir tant de honte en partage,
Que je n'en aie encor mérité davantage.

ORGON, *à son fils.*

Ah ! traître, oses-tu bien par cette fausseté
Vouloir de sa vertu ternir la pureté ?

DAMIS

Quoi ? la feinte douceur de cette âme hypocrite
1090 Vous fera démentir... ?

ORGON

Tais-toi, peste maudite.

TARTUFFE

Ah ! laissez-le parler : vous l'accusez à tort,
Et vous ferez bien mieux de croire à son rapport.
Pourquoi sur un tel fait m'être si favorable ?
Savez-vous, après tout, de quoi je suis capable ?
1095 Vous fiez-vous, mon frère, à mon extérieur ?
Et, pour tout ce qu'on voit, me croyez-vous meilleur ?
Non, non : vous vous laissez tromper à l'apparence,

---

1. *me... mortifier* : m'imposer une épreuve, me faire souffrir afin de me préparer à la mort (vocabulaire dévot).

Et je ne suis rien moins, hélas ! que ce qu'on pense ;
Tout le monde me prend pour un homme de bien ;
1100 Mais la vérité pure est que je ne vaux rien.
(S'adressant à Damis.)
Oui, mon cher fils, parlez : traitez-moi de perfide,
D'infâme, de perdu, de voleur, d'homicide ;
Accablez-moi de noms encor plus détestés :
Je n'y contredis point, je les ai mérités ;
1105 Et j'en veux à genoux souffrir l'ignominie,
Comme une honte due aux crimes de ma vie.

ORGON, *à Tartuffe.*
Mon frère, c'en est trop.
(À son fils.)
Ton cœur ne se rend point,
Traître ?

DAMIS
Quoi ? ses discours vous séduiront[1] au point...

ORGON
Tais-toi, pendard.
(À Tartuffe.)
Mon frère, eh ! levez-vous, de grâce !
(À son fils.)
1110 Infâme !

DAMIS
Il peut...

ORGON
Tais-toi.

DAMIS
J'enrage ! Quoi ? je passe...

ORGON
Si tu dis un seul mot, je te romprai les bras.

TARTUFFE
Mon frère, au nom de Dieu, ne vous emportez pas.
J'aimerais mieux souffrir la peine la plus dure,
Qu'il eût reçu pour moi la moindre égratignure.

---

1. *séduiront* : égareront hors de la vérité.

ORGON, *à son fils.*

1115 Ingrat !

TARTUFFE

Laissez-le en paix[1]. S'il faut, à deux genoux,
Vous demander sa grâce...

ORGON, *se jetant aussi à genoux, à Tartuffe.*

Hélas ! vous moquez-vous ?
(À son fils.)
Coquin ! vois sa bonté.

DAMIS

Donc...

ORGON

Paix !

DAMIS

Quoi ? je...

ORGON

Paix ! dis-je.
Je sais bien quel motif à l'attaquer t'oblige :
Vous le haïssez tous et je vois aujourd'hui
1120 Femme, enfants, et valets déchaînés contre lui ;
On met impudemment toute chose en usage,
Pour ôter de chez moi ce dévot personnage.
Mais plus on fait d'effort afin de l'en bannir,
Plus j'en veux employer à l'y mieux retenir ;
1125 Et je vais me hâter de lui donner ma fille,
Pour confondre[2] l'orgueil de toute ma famille.

DAMIS

À recevoir sa main on pense l'obliger ?

ORGON

Oui, traître, et dès ce soir, pour vous faire enrager.
Ah ! je vous brave tous, et vous ferai connaître
1130 Qu'il faut qu'on m'obéisse et que je suis le maître.
Allons, qu'on se rétracte, et qu'à l'instant, fripon,
On se jette à ses pieds pour demander pardon.

DAMIS

Qui, moi ? de ce coquin, qui, par ses impostures...

---

1. *laissez-le en paix* : élision ; prononcer « laissez l'en paix ».
2. *confondre* : plonger dans la confusion, dans le désarroi, vaincre.

ORGON

Ah! tu résistes, gueux, et lui dis des injures?

1135 Un bâton! un bâton!

(À Tartuffe.)

Ne me retenez pas.

(À son fils.)

Sus, que de ma maison on sorte de ce pas,

Et que d'y revenir on n'ait jamais l'audace.

DAMIS

Oui, je sortirai; mais...

ORGON

Vite, quittons la place.

Je te prive, pendard, de ma succession,

1140 Et te donne de plus ma malédiction.

SCÈNE 7. ORGON, TARTUFFE

ORGON

Offenser de la sorte une sainte personne!

TARTUFFE

Ô Ciel! pardonne-lui la douleur qu'il me donne!

(À Orgon.)

Si vous pouviez savoir avec quel déplaisir

Je vois qu'envers mon frère on tâche à me noircir...

ORGON

1145 Hélas!

TARTUFFE

Le seul penser de cette ingratitude

Fait souffrir à mon âme un supplice si rude...

L'horreur que j'en conçois... J'ai le cœur si serré,

Que je ne puis parler, et crois que j'en mourrai.

ORGON

(Il court tout en larmes à la porte par où il a chassé son fils.)

Coquin! je me repens que ma main t'ait fait grâce,

1150 Et ne t'ait pas d'abord assommé sur la place.

Remettez-vous, mon frère, et ne vous fâchez pas.

TARTUFFE

Rompons, rompons le cours de ces fâcheux débats.
Je regarde céans quels grands troubles j'apporte,
Et crois qu'il est besoin, mon frère, que j'en sorte.

ORGON

1155 Comment ? vous moquez-vous ?

TARTUFFE

On m'y hait, et je voi
Qu'on cherche à vous donner des soupçons de ma foi[1].

ORGON

Qu'importe ? Voyez-vous que mon cœur les écoute ?

TARTUFFE

On ne manquera pas de poursuivre, sans doute ;
Et ces mêmes rapports qu'ici vous rejetez
1160 Peut-être une autre fois seront-ils écoutés.

ORGON

Non, mon frère, jamais.

TARTUFFE

Ah ! mon frère, une femme
Aisément d'un mari peut bien surprendre[2] l'âme.

ORGON

Non, non.

TARTUFFE

Laissez-moi vite, en m'éloignant d'ici,
Leur ôter tout sujet de m'attaquer ainsi.

ORGON

1165 Non, vous demeurerez : il y va de ma vie.

TARTUFFE

Hé bien ! il faudra donc que je me mortifie.
Pourtant, si vous vouliez...

ORGON

Ah !

---

1. *foi* : probité.
2. *surprendre l'âme* : tromper.

TARTUFFE

Soit : n'en parlons plus.
Mais je sais comme il faut en user là-dessus.
L'honneur est délicat, et l'amitié m'engage
1170 À prévenir les bruits et les sujets d'ombrage.
Je fuirai votre épouse, et vous ne me verrez...

ORGON

Non, en dépit de tous, vous la fréquenterez.
Faire enrager le monde est ma plus grande joie,
Et je veux qu'à toute heure avec elle on vous voie.
1175 Ce n'est pas tout encor : pour les mieux braver tous,
Je ne veux point avoir d'autre héritier que vous,
Et je vais de ce pas, en fort bonne manière,
Vous faire de mon bien donation entière.
Un bon et franc ami, que pour gendre je prends,
1180 M'est bien plus cher que fils, que femme, et que parents.
N'accepterez-vous pas ce que je vous propose ?

TARTUFFE

La volonté du Ciel soit faite en toute chose !

ORGON

Le pauvre homme ! Allons vite en dresser un écrit,
Et que puisse l'envie en crever de dépit !

Questions

Compréhension

Scènes 4 et 5

1. *Expliquez en quoi l'intervention de Damis est aussi prévisible qu'inopportune : que fait-elle perdre de ce qu'Elmire avait gagné au cours de la scène 3 ?*

2. *Montrez qu'Elmire parvient cependant à minimiser les effets de la sortie de Damis.*

Scène 6

3. *Sur quels paradoxes repose cette scène ?*

4. *Pourquoi Orgon se laisse-t-il convaincre ?*

5. *Pour la suite de l'action, quelle décision capitale vient d'être prise ? À quel vers ?*

Scènes 4 à 7

6. **Bilan dramatique :** *les volontés motrices de l'action ont-elles changé ? Montrez que la situation s'est modifiée pour l'ensemble des principaux personnages de la pièce. En quel sens ? Tartuffe, en particulier, sort-il de cette épreuve affaibli ou renforcé ? Quelle différence juridique y a-t-il entre une « donation » et un « legs » ? Montrez l'importance de cette différence ici.*

7. *Dans la scène 7, le tête à tête avec Orgon est la deuxième grande scène de* Tartuffe. *Montrez que c'est une scène d'intimité. En quoi nous fait-elle mieux connaître Orgon ? Y en a-t-il d'autres dans la pièce ?*

Écriture

Scène 4

8. *En quoi constitue-t-elle une péripétie• ? Celle-ci est-elle inattendue ou préparée ? Est-elle comique ?*

Scènes 4 et 5

9. *Pourquoi Molière a-t-il voulu qu'Orgon dans la scène 5, et Tartuffe dans les scènes 4 et 5, demeurent silencieux ?*

10. *Relevez tout au long de l'acte, dans le rôle de Damis, des vers qui ne détoneraient point dans une tragédie. Pourquoi Molière lui attribue-t-il ce langage ?*

Scène 6

11. *Analysez le comique de cette scène en la replaçant dans le schéma de la communication théâtrale•. Justifiez sa place dans l'acte.*

12. *Importance du vers 1128.*

Scènes 6 et 7

13. *L'action franchit des pas décisifs avec l'apparition d'un troisième puis d'un quatrième péril• : lesquels ? Comment se lient-ils l'un à l'autre et aux précédents ? En quoi marquent-ils une aggravation ? Comment Molière comprend-il l'unité d'action ?*

14. *Le ton reste-t-il celui de la comédie ?*

Scènes 1 à 7

15. *Quel était le but de Molière dans ce troisième acte ?*

16. *La tension dramatique y faiblit-elle ? Combien de péripéties• comporte l'acte au total, lesquelles ? Quelle est leur efficacité ?*

Jacques Debary (Orgon), Anouk Ferjac (Elmire), Michel Auclair (Tartuffe), mise en scène de Roger Planchon, Théâtre de la Cité de Villeurbanne (1964).

Bilan

L'action

• *Ce que nous savons*

Malgré la péripétie finale, l'intrigue a fait des progrès décisifs : au cours des deux premiers actes, Orgon s'est montré irréversiblement « tartuffié ». Sa décision de marier sa fille au parasite• est apparue irrévocable. Dès lors, l'intrigue• ne pouvait avoir d'autre enjeu que de rompre le couple Orgon-Tartuffe. Comme la volonté d'Orgon trouve son principe en Tartuffe, pour parvenir à cette fin, il fallait que la famille fît d'abord l'essai d'infléchir la volonté de l'intrus lui-même. Cette tentative vient d'avoir lieu. Elle a échoué.

Dans l'immédiat, cet échec se solde par le renforcement :

— de l'aliénation d'Orgon,

— de la position de Tartuffe : Damis est maudit et déshérité, le parasite reçoit en donation tous les biens d'Orgon : il y a captation d'héritage !

Néanmoins, pour la première fois, l'hypocrite s'est démasqué, ce qui pourrait le rendre vulnérable à terme. Quoi qu'il en soit, après cette première tentative, une seule entreprise demeure possible.

• *À quoi nous attendre ?*

Puisqu'on n'a pu changer la volonté de Tartuffe, il ne reste qu'à livrer un nouvel et dernier assaut contre celle d'Orgon. Comme celui-ci est le champion des apparences• (il ne croit que ce qui paraît, *cf. v. 1317), on lui donnera* simultanément *à* voir *le masque et le visage de son objet chéri, afin de le désabuser s'il se peut.*

Or Elmire a été assez habile pour ménager la possibilité d'un second entretien, dont il suffirait de rendre Orgon le témoin...

Les personnages

C'est évidemment ***Tartuffe*** *qui se révèle ici. Après les portraits brossés par autrui, et donc quelque peu tendancieux, l'acte entier a eu pour but de nous montrer en mouvement les ressorts psychologiques qui meuvent réellement le personnage : sensualité, amour-propre, ambition, fol orgueil de parvenu, ainsi que toutes les ressources* *dont il dispose : une forme d'élégance, mais empruntée, une certaine culture, de l'impudence, un cynisme impitoyable, une rouerie consommée, et surtout un imperturbable aplomb. Au lieu d'un « pourceau de sacristie », nous découvrons un* acteur *redoutable, arriviste et libertin•, aux prises avec le masque contraire sous lequel il a choisi de se dissimuler pour parvenir à ses fins. Empêtré dans ses contradictions, le personnage apparaît pourtant d'une étrange force, ce qui le rend aussi inquiétant que comique. Cette ambiguïté fondamentale en fait toute la richesse.*

• **Elmire** *se révèle aussi. L'on découvre en elle un personnage brillant, « admirable », certes, mais non moins ambigu. Son « honnêteté• » n'est pas exempte des roueries d'une coquette• mondaine, et, sous la politesse, il reste aussi en elle quelque trace de la hardiesse effrontée des héroïnes de farce•, ce qui tend à réaliser en* **Orgon** *le type du barbon cocu.*

L'écriture

Nous sommes ici en présence du chef-d'œuvre de la comédie classique, d'un sommet dans l'art de Molière. Virtuosité dans l'utilisation du « théâtre dans le théâtre », grâce aux regards et aux lazzi• de Dorine, qui soulève le masque du faux dévot, pour la plus grande joie du spectateur. Virtuosité de la passe d'armes entre Tartuffe et Elmire, obligés l'un et l'autre de jouer à contre-emploi un jeu d'esquive et de feinte prodigieux, qui aux ressorts du comique de situation ajoute celui de l'admiration. Virtuosité des péripéties• et des renversements, aussi bien préparés que fracassants. Virtuosité encore dans le maniement ironique d'un langage à double entente, celui de la dévotion ou de la préciosité servant ici à exprimer la plus âcre sensualité... Richesse psychologique des personnages, l'un et l'autre profondément ambigus. Vertige baroque, mais admirablement maîtrisé, d'un jeu de miroir, où sans cesse on louvoie entre le paraître et l'être. Ce troisième acte est la théâtralité même, au point qu'on se demande, en vain, quel acteur il faudrait pour jouer Tartuffe !

ACTE IV

SCÈNE PREMIÈRE. CLÉANTE, TARTUFFE

CLÉANTE

1185 Oui, tout le monde en parle, et vous m'en pouvez croire,
L'éclat[1] que fait ce bruit n'est point à votre gloire ;
Et je vous ai trouvé, monsieur, fort à propos,
Pour vous en dire net ma pensée en deux mots.
Je n'examine point à fond ce qu'on expose ;
1190 Je passe là-dessus, et prends au pis[2] la chose.
Supposons que Damis n'en ait pas bien usé,
Et que ce soit à tort qu'on vous ait accusé :
N'est-il pas d'un chrétien de pardonner l'offense,
Et d'éteindre en son cœur tout désir de vengeance ?
1195 Et devez-vous souffrir, pour votre démêlé,
Que du logis d'un père un fils soit exilé ?
Je vous le dis encore, et parle avec franchise,
Il n'est petit ni grand qui ne s'en scandalise ;
Et si vous m'en croyez, vous pacifierez tout,
1200 Et ne pousserez point les affaires à bout.
Sacrifiez à Dieu toute votre colère,
Et remettez le fils en grâce avec le père.

TARTUFFE

Hélas ! je le voudrais, quant à moi, de bon cœur :
Je ne garde pour lui, monsieur, aucune aigreur ;
1205 Je lui pardonne tout, de rien je ne le blâme
Et voudrais le servir du meilleur de mon âme ;
Mais l'intérêt du Ciel n'y saurait consentir,
Et s'il rentre céans, c'est à moi d'en sortir.
Après son action, qui n'eut jamais d'égale,
1210 Le commerce[3] entre nous porterait du scandale.
Dieu sait ce que d'abord tout le monde en croirait !

---

1. *éclat* : scandale.
2. *je prends au pis* : je suppose que la chose soit réellement au pire.
3. *commerce* : fréquentation.

À pure politique[1] on me l'imputerait ;
Et l'on dirait partout que, me sentant coupable,
Je feins pour qui m'accuse un zèle charitable,
1215 Que mon cœur l'appréhende et veut le ménager,
Pour le pouvoir sous main[2] au silence engager.

CLÉANTE

Vous nous payez ici d'excuses colorées[3],
Et toutes vos raisons, monsieur, sont trop tirées.
Des intérêts du Ciel pourquoi vous chargez-vous ?
1220 Pour punir le coupable a-t-il besoin de nous ?
Laissez-lui, laissez-lui le soin de ses vengeances ;
Ne songez qu'au pardon qu'il prescrit des offenses ;
Et ne regardez point aux jugements humains,
Quand vous suivez du Ciel les ordres souverains.
1225 Quoi ? le faible intérêt de ce qu'on pourra croire
D'une bonne action empêchera la gloire ?
Non, non : faisons toujours ce que le Ciel prescrit,
Et d'aucun autre soin ne nous brouillons l'esprit.

TARTUFFE

Je vous ai déjà dit que mon cœur lui pardonne,
1230 Et c'est faire, monsieur, ce que le Ciel ordonne ;
Mais après le scandale et l'affront d'aujourd'hui,
Le Ciel n'ordonne pas que je vive avec lui.

CLÉANTE

Et vous ordonne-t-il, monsieur, d'ouvrir l'oreille
À ce qu'un pur caprice à son père conseille,
1235 Et d'accepter le don qui vous est fait d'un bien
Où le droit vous oblige à ne prétendre rien ?

TARTUFFE

Ceux qui me connaîtront n'auront pas la pensée
Que ce soit un effet d'une âme intéressée.
Tous les biens de ce monde ont pour moi peu d'appas,
1240 De leur éclat trompeur je ne m'éblouis pas ;
Et si je me résous à recevoir du père

---

1. *politique* : habileté.
2. *sous main* : en sous-main.
3. *colorées* : fardées, de pure apparence et faites pour tromper.

Cette donation qu'il a voulu me faire,
Ce n'est, à dire vrai, que parce que je crains
Que tout ce bien ne tombe en de méchantes mains,
1245 Qu'il ne trouve des gens qui, l'ayant en partage,
En fassent dans le monde un criminel usage,
Et ne s'en servent pas, ainsi que j'ai dessein,
Pour la gloire du Ciel et le bien du prochain.

CLÉANTE

Hé ! monsieur, n'ayez point ces délicates craintes,
1250 Qui d'un juste héritier peuvent causer les plaintes ;
Souffrez, sans vous vouloir embarrasser de rien,
Qu'il soit, à ses périls[1], possesseur de son bien ;
Et songez qu'il vaut mieux encor qu'il en mésuse[2],
Que si de l'en frustrer il faut qu'on vous accuse.
1255 J'admire[3] seulement que sans confusion
Vous en ayez souffert la proposition ;
Car enfin le vrai zèle a-t-il quelque maxime
Qui montre à dépouiller l'héritier légitime ?
Et s'il faut que le Ciel dans votre cœur ait mis
1260 Un invincible obstacle à vivre avec Damis,
Ne vaudrait-il pas mieux qu'en personne discrète
Vous fissiez de céans une honnête retraite,
Que de souffrir ainsi, contre toute raison,
Qu'on en chasse pour vous le fils de la maison ?
1265 Croyez-moi, c'est donner de votre prud'homie[4],
Monsieur...

TARTUFFE

Il est, monsieur, trois heures et demie :
Certain devoir pieux me demande là-haut,
Et vous m'excuserez de vous quitter sitôt.

CLÉANTE

Ah !

---

1. *à ses périls* : cela dût-il nuire à son salut.
2. *mésuse* : fait mauvais usage.
3. *j'admire* : je m'étonne (lat. *admirari*).
4. *prud'homie* : prudence, sagesse.

SCÈNE 2. ELMIRE, MARIANE, CLÉANTE, DORINE

DORINE, *à Cléante.*

De grâce, avec nous employez-vous pour elle,
1270 Monsieur : son âme souffre une douleur mortelle ;
Et l'accord que son père a conclu pour ce soir
La fait, à tous moments, entrer en désespoir.
Il va venir. Joignons nos efforts, je vous prie,
Et tâchons d'ébranler, de force ou d'industrie[1],
1275 Ce malheureux dessein qui nous a tous troublés.

SCÈNE 3. ORGON, ELMIRE, MARIANE, CLÉANTE, DORINE

ORGON

Ha ! je me réjouis de vous voir assemblés :
(À Mariane.)
Je porte en ce contrat[2] de quoi vous faire rire,
Et vous savez déjà ce que cela veut dire.

MARIANE, *à genoux.*

Mon père, au nom du Ciel, qui connaît ma douleur,
1280 Et par tout ce qui peut émouvoir votre cœur,
Relâchez-vous un peu des droits de la naissance[3],
Et dispensez mes vœux de cette obéissance,
Ne me réduisez point par cette dure loi
Jusqu'à me plaindre au Ciel de ce que je vous doi,
1285 Et cette vie, hélas ! que vous m'avez donnée,
Ne me la rendez pas, mon père, infortunée.
Si, contre un doux espoir que j'avais pu former,
Vous me défendez d'être à ce que j'ose aimer,
Au moins, par vos bontés, qu'à vos genoux j'implore,
1290 Sauvez-moi du tourment d'être à ce que j'abhorre,
Et ne me portez point à quelque désespoir,
En vous servant sur moi de tout votre pouvoir.

---

1. *d'industrie* : par la ruse.
2. *contrat* : de mariage.
3. *des droits de la naissance* : des droits que vous avez sur vos enfants.

ORGON, *se sentant attendrir.*
Allons, ferme, mon cœur, point de faiblesse humaine.

MARIANE
Vos tendresses pour lui ne me font point de peine ;
1295 Faites-les éclater, donnez-lui votre bien,
Et, si ce n'est assez, joignez-y tout le mien :
J'y consens de bon cœur, et je vous l'abandonne ;
Mais au moins n'allez pas jusques à ma personne,
Et souffrez qu'un couvent dans les austérités
1300 Use les tristes jours que le Ciel m'a comptés.

ORGON
Ah ! voilà justement de mes religieuses,
Lorsqu'un père combat leurs flammes amoureuses !
Debout ! Plus votre cœur répugne à l'accepter,
Plus ce sera pour vous matière à mériter :
1305 Mortifiez vos sens avec ce mariage,
Et ne me rompez pas la tête davantage.

DORINE
Mais quoi... ?

ORGON
Taisez-vous, vous ; parlez à votre écot[1] :
Je vous défends tout net d'oser dire un seul mot.

CLÉANTE
Si par quelque conseil vous souffrez qu'on réponde...

ORGON
1310 Mon frère, vos conseils sont les meilleurs du monde,
Ils sont bien raisonnés, et j'en fais un grand cas ;
Mais vous trouverez bon que je n'en use pas.

ELMIRE, *à son mari.*
À voir ce que je vois, je ne sais plus que dire,
Et votre aveuglement fait que je vous admire :
1315 C'est être bien coiffé, bien prévenu de lui[2],
Que de nous démentir sur le fait d'aujourd'hui.

1. *votre écot* : votre compagnie, vos compagnons.
2. *être bien prévenu de lui* : avoir bien des préjugés en sa faveur.

ORGON

Je suis votre valet, et crois les apparences•.
Pour mon fripon de fils je sais vos complaisances,
Et vous avez eu peur de le désavouer
1320 Du trait[1] qu'à ce pauvre homme il a voulu jouer ;
Vous étiez trop tranquille enfin pour être crue,
Et vous auriez paru d'autre manière émue.

ELMIRE

Est-ce qu'au simple aveu d'un amoureux transport
Il faut que notre honneur se gendarme si fort ?
1325 Et ne peut-on répondre à tout ce qui le touche
Que le feu dans les yeux et l'injure à la bouche ?
Pour moi, de tels propos je me ris simplement,
Et l'éclat là-dessus ne me plaît nullement ;
J'aime qu'avec douceur nous nous montrions sages,
1330 Et ne suis point du tout pour ces prudes sauvages
Dont l'honneur est armé de griffes et de dents,
Et veut au moindre mot dévisager[2] les gens :
Me préserve le Ciel d'une telle sagesse !
Je veux une vertu qui ne soit point diablesse,
1335 Et crois que d'un refus la discrète froideur
N'en est pas moins puissante à rebuter un cœur.

ORGON

Enfin je sais l'affaire et ne prends point le change[3].

ELMIRE

J'admire, encore un coup, cette faiblesse étrange,
Mais que me répondrait votre incrédulité
1340 Si je vous faisais voir qu'on vous dit vérité ?

ORGON

Voir ?

ELMIRE

Oui.

ORGON

Chansons !

---

1. *trait* : mauvais tour.
2. *dévisager* : défigurer.
3. *prendre le change* : se laisser égarer sur une fausse piste (terme de vénerie).

ELMIRE

Mais quoi ? si je trouvais manière
De vous le faire voir avec pleine lumière ?

ORGON

Contes en l'air !

ELMIRE

Quel homme ! Au moins répondez-moi.
Je ne vous parle pas de nous ajouter foi ;
1345 Mais supposons ici que, d'un lieu qu'on peut prendre[1],
On vous fît clairement tout voir et tout entendre,
Que diriez-vous alors de votre homme de bien ?

ORGON

En ce cas, je dirais que... Je ne dirais rien,
Car cela ne se peut.

ELMIRE

L'erreur trop longtemps dure,
1350 Et c'est trop condamner ma bouche d'imposture.
Il faut que par plaisir, et sans aller plus loin
De tout ce qu'on vous dit je vous fasse témoin.

ORGON

Soit : je vous prends au mot. Nous verrons votre adresse,
Et comment vous pourrez remplir cette promesse.

ELMIRE, *à Dorine.*
1355 Faites-le-moi venir.

DORINE

Son esprit est rusé,
Et peut-être à surprendre il sera malaisé.

ELMIRE

Non : on est aisément dupé par ce qu'on aime,
Et l'amour-propre engage à se tromper soi-même.
Faites-le-moi descendre.
(Parlant à Cléante et à Mariane.)
Et vous, retirez-vous.

1. *prendre* : choisir.

SCÈNE 4. ELMIRE, ORGON

ELMIRE

1360 Approchons cette table, et vous mettez dessous.

ORGON

Comment ?

ELMIRE

Vous bien cacher est un point nécessaire.

ORGON

Pourquoi sous cette table ?

ELMIRE

Ah ! mon Dieu ! laissez faire :
J'ai mon dessein en tête, et vous en jugerez.
Mettez-vous là, vous dis-je ; et quand vous y serez,
1365 Gardez qu'on ne vous voie et qu'on ne vous entende.

ORGON

Je confesse qu'ici ma complaisance est grande ;
Mais de votre entreprise il vous faut voir sortir.

ELMIRE

Vous n'aurez, que je crois, rien à me repartir[1].
(À son mari, qui est sous la table.)
Au moins, je vais toucher une étrange matière :
1370 Ne vous scandalisez en aucune manière.
Quoi que je puisse dire, il[2] doit m'être permis,
Et c'est pour vous convaincre, ainsi que j'ai promis.
Je vais par des douceurs, puisque j'y suis réduite,
Faire poser le masque à cette âme hypocrite,
1375 Flatter de son amour les désirs effrontés,
Et donner un champ libre à ses témérités.
Comme c'est pour vous seul, et pour mieux le confondre,
Que mon âme à ses vœux va feindre de répondre,
J'aurai lieu de cesser dès que vous vous rendrez,
1380 Et les choses n'iront que jusqu'où vous voudrez.
C'est à vous d'arrêter son ardeur insensée,

---

1. *repartir* : répondre.
2. *il* : neutre = cela.

Quand vous croirez l'affaire assez avant poussée,
D'épargner votre femme, et de ne m'exposer
Qu'à ce qu'il vous faudra pour vous désabuser :
1385 Ce sont vos intérêts[1] ; vous en serez le maître,
Et... L'on vient. Tenez-vous, et gardez de paraître.

Luce Mélite (Elmire), mise en scène de Marcel Maréchal, Th. de la Criée (1991).

1. *vos intérêts* : de mari... Donc cela ne concerne que vous.

Questions

Compréhension

Scène 1

1. *Quelle est l'utilité de ce débat d'idées pour la conduite de l'action ?*

2. *Quelle est la stratégie de Cléante ? Peut-elle réussir ?*

3. *Comment Tartuffe se défend-il ?*

4. *D'après les vers 1239-1248 et 1266-1268, demandez-vous si l'idée de la donation (v. 1178) vient bien d'Orgon. Sinon, quel est le nom du délit que commet Tartuffe ? Cette donation constitue pour Tartuffe une progression dans son ascension sociale : expliquez en quoi. Quelles sont les marches qu'il avait précédemment gravies ? Comparez-les à celle qu'il vient de franchir ici.*

5. *En quoi les vers 1211-1216 révèlent-ils la mentalité du personnage ?*

6. *Vers 1266 : Qu'est-ce qui provoque l'interruption de Tartuffe ?*

Scène 3

7. *Quel enjeu atteint ici sa plus grande intensité ? Quel autre enjeu fondamental rejoint-il ?*

Scène 4

8. *Quels sont les motifs de la décision d'Elmire ? Montrez qu'elle seule pouvait encore agir.*

Écriture

Scène 1

9. *Combien de temps s'est-il écoulé pendant l'entracte ?*

Scène 3

10. *Étudiez la valeur et l'importance des signes de l'énonciation• dans les vers 1276-1277.*

11. *Relevez les accents tragiques de cette scène. L'unité de ton• est-elle préservée ? Bascule-t-on dans le drame•, ou s'agit-il de parodie ? Comment revient-on au ton et aux motifs• de la franche comédie ?*

SCÈNE 5. TARTUFFE, ELMIRE, ORGON

TARTUFFE

On m'a dit qu'en ce lieu vous me vouliez parler.

ELMIRE

Oui. L'on a des secrets à vous y révéler.
Mais tirez cette porte avant qu'on vous les dise,
1390 Et regardez partout, de crainte de surprise.
(Tartuffe va fermer la porte et revient.)
Une affaire pareille à celle de tantôt
N'est pas assurément ici ce qu'il nous faut.
Jamais il ne s'est vu de surprise de même[1] ;
Damis m'a fait pour vous une frayeur extrême,
1395 Et vous avez bien vu que j'ai fait mes efforts
Pour rompre son dessein et calmer ses transports.
Mon trouble, il est bien vrai, m'a si fort possédée,
Que de le démentir je n'ai point eu l'idée ;
Mais par là, grâce au Ciel, tout a bien mieux été,
1400 Et les choses en sont dans plus de sûreté.
L'estime où l'on vous tient a dissipé l'orage,
Et mon mari de vous ne peut prendre d'ombrage.
Pour mieux braver l'éclat des mauvais jugements,
Il veut que nous soyons ensemble à tous moments ;
1405 Et c'est par où je puis, sans peur d'être blâmée,
Me trouver ici seule avec vous enfermée,
Et ce qui m'autorise à vous ouvrir un cœur
Un peu trop prompt peut-être à souffrir votre ardeur.

TARTUFFE

Ce langage à comprendre est assez difficile,
1410 Madame, et vous parliez tantôt d'un autre style.

ELMIRE

Ah ! si d'un tel refus vous êtes en courroux,
Que le cœur d'une femme est mal connu de vous !
Et que vous savez peu ce qu'il veut faire entendre
Lorsque si faiblement on le voit se défendre !
1415 Toujours notre pudeur combat dans ces moments

1. *de même* : semblable.

Ce qu'on peut nous donner de tendres sentiments.
Quelque raison qu'on trouve à l'amour qui nous dompte,
On trouve à l'avouer toujours un peu de honte ;
On s'en défend d'abord ; mais de l'air qu'on s'y prend
1420 On fait connaître assez que notre cœur se rend,
Qu'à nos vœux par honneur notre bouche s'oppose,
Et que de tels refus promettent toute chose.
C'est vous faire sans doute un assez libre aveu,
Et sur notre pudeur me ménager bien peu ;
1425 Mais puisque la parole enfin en est lâchée,
À retenir Damis me serais-je attachée,
Aurais-je, je vous prie, avec tant de douceur
Écouté tout au long l'offre de votre cœur,
Aurais-je pris la chose ainsi qu'on m'a vu faire,
1430 Si l'offre de ce cœur n'eût eu de quoi me plaire ?
Et lorsque j'ai voulu moi-même vous forcer
À refuser l'hymen qu'on venait d'annoncer,
Qu'est-ce que cette instance[1] a dû vous faire entendre,
Que[2] l'intérêt qu'en vous on s'avise de prendre,
1435 Et l'ennui qu'on aurait que ce nœud qu'on résout
Vînt partager du moins un cœur que l'on veut tout ?

TARTUFFE

C'est sans doute, madame, une douceur extrême
Que d'entendre ces mots d'une bouche qu'on aime :
Leur miel dans tous mes sens fait couler à longs traits
1440 Une suavité qu'on ne goûta jamais.
Le bonheur de vous plaire est ma suprême étude,
Et mon cœur de vos vœux[3] fait sa béatitude ;
Mais ce cœur vous demande ici la liberté
D'oser douter un peu de sa félicité.
1445 Je puis croire ces mots un artifice honnête
Pour m'obliger à rompre un hymen qui s'apprête ;
Et s'il faut librement m'expliquer avec vous,
Je ne me fierai point à des propos si doux,

1. *instance* : prière instante.
2. *que* : hormis.
3. *vos vœux* : l'amour que vous me portez.

Qu'[1] un peu de vos faveurs, après quoi je soupire,
1450 Ne vienne m'assurer tout ce qu'ils m'ont pu dire,
Et planter dans mon âme une constante foi[2]
Des charmantes bontés que vous avez pour moi.

ELMIRE *(Elle tousse pour avertir son mari.)*
Quoi ? vous voulez aller avec cette vitesse,
Et d'un cœur tout d'abord épuiser la tendresse ?
1455 On se tue à vous faire un aveu des plus doux ;
Cependant ce n'est pas encore assez pour vous,
Et l'on ne peut aller jusqu'à[3] vous satisfaire,
Qu'[4] aux dernières faveurs on ne pousse[5] l'affaire ?

TARTUFFE
Moins on mérite un bien, moins on l'ose espérer.
1460 Nos vœux sur des discours ont peine à s'assurer.
On soupçonne aisément un sort tout plein de gloire,
Et l'on veut en jouir avant que de le croire.
Pour moi, qui crois si peu mériter vos bontés,
Je doute du bonheur de mes témérités ;
1465 Et je ne croirai rien, que vous n'ayez, madame,
Par des réalités su convaincre ma flamme.

ELMIRE
Mon Dieu, que votre amour en vrai tyran agit,
Et qu'en un trouble étrange il me jette l'esprit !
Que sur les cœurs il prend un furieux empire,
1470 Et qu'avec violence il veut ce qu'il désire !
Quoi ? de votre poursuite on ne peut se parer,
Et vous ne donnez pas le temps de respirer ?
Sied-il bien de tenir une rigueur si grande,
De vouloir sans quartier les choses qu'on demande,
1475 Et d'abuser ainsi par vos efforts pressants
Du faible que pour vous vous voyez qu'ont les gens ?

---

1. *qu'* : sans qu'auparavant.
2. *foi* : confiance.
3. *aller jusqu'à* : parvenir à.
4-5. *qu'... on ne pousse* : sans pousser.

TARTUFFE
Mais si d'un œil bénin[1] vous voyez mes hommages,
Pourquoi m'en refuser d'assurés témoignages ?

ELMIRE
Mais comment consentir à ce que vous voulez,
1480 Sans offenser le Ciel, dont toujours vous parlez ?

TARTUFFE
Si ce n'est que le Ciel qu'à mes vœux on oppose,
Lever un tel obstacle est à moi peu de chose,
Et cela ne doit pas retenir votre cœur.

ELMIRE
Mais des arrêts du Ciel on nous fait tant de peur !

TARTUFFE
1485 Je puis vous dissiper ces craintes ridicules,
Madame, et je sais l'art de lever les scrupules.
Le Ciel défend, de vrai, certains contentements ;
(C'est un scélérat qui parle.)
Mais on trouve avec lui des accommodements ;
Selon divers besoins, il est une science[2]
1490 D'étendre les liens de notre conscience,
Et de rectifier le mal de l'action
Avec la pureté de notre intention.
De ces secrets, madame, on saura vous instruire ;
Vous n'avez seulement qu'à vous laisser conduire.
1495 Contentez mon désir, et n'ayez point d'effroi :
Je vous réponds de tout, et prends le mal sur moi.
(Elmire tousse plus fort.)
Vous toussez fort, madame.

ELMIRE
Oui, je suis au supplice.

TARTUFFE, *présentant à Elmire un cornet de papier.*
Vous plaît-il un morceau de ce jus de réglisse ?

1. *bénin* : bienveillant.
2. *science* : la casuistique (cf. « Sources de Tartuffe, le pamphlet », p. 165).

ELMIRE
C'est un rhume obstiné, sans doute ; et je vois bien
1500 Que tous les jus du monde ici ne feront rien.

TARTUFFE
Cela certes est fâcheux.

ELMIRE
Oui, plus qu'on ne peut dire.

TARTUFFE
Enfin votre scrupule est facile à détruire :
Vous êtes assurée ici d'un plein secret,
Et le mal n'est jamais que dans l'éclat qu'on fait ;
1505 Le scandale du monde est ce qui fait l'offense,
Et ce n'est pas pécher que pécher en silence.

ELMIRE, *après avoir encore toussé.*
Enfin je vois qu'il faut se résoudre à céder,
Qu'il faut que je consente à vous tout accorder,
Et qu'à moins de cela je ne dois point prétendre
1510 Qu'on puisse être content, et qu'on veuille se rendre.
Sans doute il est fâcheux d'en venir jusque-là,
Et c'est bien malgré moi que je franchis cela ;
Mais puisque l'on s'obstine à m'y vouloir réduire,
Puisqu'on ne veut point croire à tout ce qu'on peut dire,
1515 Et qu'on veut des témoins qui soient plus convaincants,
Il faut bien s'y résoudre et contenter les gens.
Si ce consentement porte en soi quelque offense,
Tant pis pour qui me force à cette violence ;
La faute assurément n'en doit pas être à moi.

TARTUFFE
1520 Oui, madame, on s'en charge, et la chose de soi...

ELMIRE
Ouvrez un peu la porte, et voyez, je vous prie,
Si mon mari n'est point dans cette galerie.

TARTUFFE
Qu'est-il besoin pour lui du soin que vous prenez ?
C'est un homme, entre nous, à mener par le nez ;

1525 De tous nos entretiens il est pour[1] faire gloire,
Et je l'ai mis au point de voir tout sans rien croire.

ELMIRE
Il n'importe : sortez, je vous prie, un moment,
Et partout, là dehors, voyez exactement.

Gérard Depardieu (Tartuffe), Élisabeth Depardieu (Elmire), mise en scène de Jacques Lassalle, Théâtre de la Ville (1984).

1. *il est pour* : il est capable de.

Questions

Compréhension

1. *Comparez avec la scène 3 de l'acte III l'ensemble de cette situation, le ton et la marche de l'action : montrez que, malgré des ressemblances, les deux situations et les motifs d'Elmire sont très différents.*

2. *Quelles sont les phases successives de la scène, et, dans chacune d'elles, qui tour à tour mène le jeu ?*

3. *Analysez comment évoluent l'argumentation et la stratégie d'Elmire dans chacune de ses tirades (1388-1408, 1411-1436, 1453-1458 et 1467-1476, 1507-1519), au fur et à mesure qu'évolue la situation.*

4. *Elmire se montre-t-elle honnête• ou perverse ? Les bienséances• sont-elles sauves ? (cf. v. 1402-1408, et observez aussi les choix que fait Elmire dans l'emploi ou l'*évitement *des pronoms personnels v. 1411-1436, 1453-1458, 1467-1476, 1507-1519).*

5. ***D'un texte à l'autre** : Molière invente-t-il les arguments qu'il prête à Tartuffe ? (v. 1485-1496) ? Comparez avec la* VIIe Provinciale *de Pascal.*

6. *Le dévoilement de Tartuffe est-il ici plus poussé que lors du troisième acte ? Parvient-il à montrer sa vérité ?*

7. *Pourquoi Molière ne fait-il pas sortir Orgon plus tôt ? (cf. plus loin v. 1529-1530.)*

8. *Montrez qu'Elmire a remporté l'avantage dans cette nouvelle joute de finesse, et que la catastrophe• de la comédie s'opère dans cette scène. Cependant, la situation est-elle* entièrement *rétablie ?*

Écriture

9. *Dans combien de scènes trouve-t-on Elmire et Orgon face à face ? Replacez la scène dans le schéma de la communication théâtrale• : devant combien de publics Elmire joue-t-elle (cf. notamment les vers 1507-1519) ? Quel genre d'effets• avons-nous ici (cf. III, sc. 2) ? Quelles*

en sont les fonctions ? Des personnages ou du spectateur, qui en sait le plus ? Cela évolue-t-il au cours de la scène ?

10. *Quels sont les procédés comiques de cette scène, la plus forte peut-être du répertoire ?*

11. ***Comique de mots** : comment Molière rend-il l'embarras d'Elmire sensible à travers son langage ?*

12. *Comment la versification s'accorde-t-elle avec le thème dans le couplet célèbre sur la casuistique (voir p. 165)*, [*v. 1487-1496*] ?

Gabriel Le Doze (Tartuffe), Sylvie Ollivier (Elmire), mise en scène de Jean-Luc Jeener, Crypte Sainte-Agnès (1991).

SCÈNE 6. ORGON, ELMIRE

ORGON, *sortant de dessous la table.*
Voilà, je vous l'avoue, un abominable homme!
1530 Je n'en puis revenir, et tout ceci m'assomme[1].

ELMIRE
Quoi? vous sortez sitôt? vous vous moquez des gens.
Rentrez sous le tapis, il n'est pas encor temps;
Attendez jusqu'au bout pour voir les choses sûres,
Et ne vous fiez point aux simples conjectures.

ORGON
1535 Non, rien de plus méchant n'est sorti de l'enfer.

ELMIRE
Mon Dieu! l'on ne doit point croire trop de léger[2].
Laissez-vous bien convaincre avant que de vous rendre,
Et ne vous hâtez point, de peur de vous méprendre.
(Elle fait mettre son mari derrière elle.)

SCÈNE 7. TARTUFFE, ELMIRE, ORGON

TARTUFFE, *sans voir Orgon.*
Tout conspire, madame, à mon contentement :
1540 J'ai visité de l'œil tout cet appartement;
Personne ne s'y trouve; et mon âme ravie...

ORGON, *en l'arrêtant.*
Tout doux! vous suivez trop votre amoureuse envie,
Et vous ne devez pas vous tant passionner.
Ah! Ah! l'homme de bien, vous m'en[3] voulez donner[4]!
1545 Comme aux tentations s'abandonne votre âme!
Vous épousiez ma fille, et convoitiez ma femme!
J'ai douté fort longtemps que ce fût tout de bon,
Et je croyais toujours qu'on changerait de ton;

1. *m'assomme* : me frappe au point d'anéantir ma volonté.
2. *de léger* : à la légère.
3-4. *m'en ... donner* : m'en donner à croire, me duper.

Mais c'est assez avant pousser le témoignage :
1550 Je m'y tiens, et n'en veux, pour moi, pas davantage.

ELMIRE, *à Tartuffe.*
C'est contre mon humeur que j'ai fait tout ceci ;
Mais on m'a mise au point de vous traiter ainsi.

TARTUFFE
Quoi ? vous croyez... ?

ORGON
Allons, point de bruit, je vous prie.
Dénichons de céans, et sans cérémonie.

TARTUFFE
1555 Mon dessein...

ORGON
Ces discours ne sont plus de saison :
Il faut, tout sur-le-champ, sortir de la maison.

TARTUFFE
C'est à vous d'en sortir, vous qui parlez en maître :
La maison m'appartient, je le ferai connaître[1],
Et vous montrerai bien qu'en vain on a recours,
1560 Pour me chercher querelle, à ces lâches détours,
Qu'on n'est pas où l'on pense[2] en me faisant injure,
Que j'ai de quoi confondre et punir l'imposture,
Venger le Ciel qu'on blesse, et faire repentir
Ceux qui parlent ici de me faire sortir.

SCÈNE 8. ELMIRE, ORGON

ELMIRE
1565 Quel est donc ce langage ? et qu'est-ce qu'il veut dire ?

ORGON
Ma foi, je suis confus, et n'ai pas lieu de rire.

1. *connaître* : reconnaître en justice.
2. *qu'on n'est pas où l'on pense* : que vous n'occupez point la position de force que vous croyez.

ELMIRE
Comment ?

ORGON
Je vois ma faute aux choses qu'il me dit,
Et la donation m'embarrasse l'esprit.

ELMIRE
La donation ?...

ORGON
Oui, c'est une affaire faite.
1570 Mais j'ai quelque autre chose encore qui m'inquiète.

ELMIRE
Et quoi ?

ORGON
Vous saurez tout. Mais voyons au plus tôt
Si certaine cassette est encore là-haut.

Michel Auclair (Tartuffe), Jacques Debary (Orgon), Anouk Ferjac (Elmire), mise en scène de Roger Planchon (1964).

Questions

Compréhension

Scène 6

1. *Qu'est-ce qui a fait réapparaître Orgon? (cf. v. 186). Pourquoi Elmire se moque-t-elle de son mari?*

Scènes 6 et 7

2. *Montrez la puissance du comique de gestes.*

Scène 7

3. *Quelle excuse Tartuffe va-t-il employer, quand il est interrompu (v. 1555)? Pourquoi échoue-t-il ici? De quelle péripétie antérieure peut-on rapprocher celle qui se produit aux vers 1539-1556? Quels problèmes jusqu'alors en suspens sont résolus?*

4. *vers 1556-1564 : analysez les qualités de ce nouveau renversement : quels mots le provoquent, quels enjeux relance-t-il? (cf. bilan du premier acte, v. 62, 66, etc., v. 1177-1178), que montre-t-il? Était-ce prévisible? Progressons-nous encore dans la révélation du « vrai » Tartuffe?*

Scène 8

5. *Quel problème apparemment nouveau surgit ici? À quel moment sera-t-il résolu?*

Écriture

Scène 7

6. *Analysez dans son langage la métamorphose du nouvel Orgon aux vers 1539-1555. Quelles sont les raisons de ce changement, et quel effet produit-il?*

L'ensemble de l'acte

7. *Montrez comment Molière relève le personnage d'Elmire. Pour quelles raisons, à la fois tactiques et dramaturgiques, tient-il tant à sauver les bienséances•?*

8. *Comparez cet acte aux quatre autres du point de vue du nombre des scènes et des vers.*

9. *Quelle scène constitue le sommet de l'acte? Dans quel mouvement• dramatique d'ensemble s'inscrit-elle? Quand a-t-il commencé, et quand prendra-t-il fin? Par rapport au découpage en actes, que privilégie Molière?*

Bilan

L'action

• Ce que nous savons

Dans cette péripétie de la reconnaissance•, *viennent de s'accomplir des progrès décisifs : l'hypocrite démasqué, voici Orgon « détartuffié ». Le parasite• n'épousera pas Mariane « dès ce soir », il ne sera jamais l'amant d'Elmire, et Damis peut recouvrer sa place et ses droits. Ainsi s'éteignent les périls que couraient Mariane depuis le deuxième acte, Elmire depuis le troisième, et Damis depuis le quatrième.*

En fait, le masque arraché, l'ambition de Tartuffe commence tout juste à se révéler dans sa vraie nature : *les enjeux précédents n'étaient pour lui que des moyens de parvenir à ses fins ultimes.*

Les personnages

• Ce que nous savons

Que veut Tartuffe en effet ? Deux choses : en premier lieu, rester le « maître de céans ». La maîtrise de « céans », *c'est-à-dire de la maison d'Orgon, lieu même de la scène, et premier enjeu signalé (I, 1, v. 45-46, 62, 476, 1208...), revient au premier plan (v. 1554). La volonté d'Orgon cessant d'agir, celle de Tartuffe reste l'unique moteur (cf. bilan du premier acte).*

Les fonctions sont permutées. Désormais Tartuffe est le protagoniste, auquel Orgon cherche à faire obstacle avec toute sa famille (sa mère exceptée), qu'il a rejointe dans la lucidité (cf. v. 1529). Or la donation *n'a fait que renforcer la position de Tartuffe : tel est pris qui croyait prendre !*

Mais la « maîtrise et seigneurie• » de « céans » (cf. plus loin v. 1755) n'est encore qu'un moyen. En dernier lieu, le but suprême que poursuit Tartuffe est de se parer de tous les attributs du « Maître ». Il a d'abord colonisé le for intérieur de sa dupe (cf. v. 1524-1526). Il entreprend, sous nos yeux, de l'expulser du siège de son pouvoir domestique et privé (v. 1557-1564). Il veut, enfin, détrôner Orgon de son pouvoir politique.

• ***À quoi nous attendre ?***
Orgon le grand bourgeois jouissait encore dans la société, comme seigneur• et homme de bien, mais aussi dans l'État, comme ancien fidèle du roi, d'une certaine notabilité (v. 181-184). Ce crédit auprès du Prince, c'est précisément ce que Tartuffe veut usurper, afin de couronner sa carrière ! La mystérieuse « cassette » d'Argas, mentionnée au dernier vers de l'acte (v. 1572), loin d'être un enjeu rapporté, est le symbole de l'ultime palier que dans son ascension sociale devait *tenter d'atteindre un vrai tartuffe — surtout si le masque lui était arraché ! Le fil principal de l'intrigue• (à qui reviendra la Maîtrise ?) rejoint ici le thème fondamental de la pièce :* **la tartufferie, par essence, est un fléau politique.** *Cette bataille pour le statut va faire intervenir la Loi. Ainsi se prépare l'intervention du Prince lors du dénouement... L'art est, ici, aussi ferme que la pensée. Molière conduit la pièce très graduellement vers son sommet dramatique et moral : tout naturellement, « l'hypocrite• » doit à présent se découvrir « imposteur• ».*

L'écriture

Au lieu d'une unité véritable de l'action, nous avons un enchaînement de périls• dont la gravité va croissant.
Au cœur de cet acte dramatique, la plus forte scène comique du répertoire : le mari abusé semble dormir sous la table, et ne voit rien !

Anouk Ferjac (Elmire) et Jacques Debary (Orgon), mise en scène de Roger Planchon, Théâtre de France (1964).

ACTE V

SCÈNE PREMIÈRE. ORGON, CLÉANTE

CLÉANTE

Où voulez-vous courir ?

ORGON

Las ! que sais-je ?

CLÉANTE

Il me semble

Que l'on doit commencer par consulter ensemble

1575 Les choses qu'on peut faire en cet événement.

ORGON

Cette cassette-là me trouble entièrement ;

Plus que le reste encore elle me désespère.

CLÉANTE

Cette cassette est donc un important mystère ?

ORGON

C'est un dépôt qu'Argas, cet ami que je plains[1],

1580 Lui-même, en grand secret, m'a mis entre les mains :

Pour cela, dans sa fuite, il me voulut élire ;

Et ce sont des papiers, à ce qu'il m'a pu dire,

Où sa vie et ses biens se trouvent attachés.

CLÉANTE

Pourquoi donc les avoir en d'autres mains lâchés ?

ORGON

1585 Ce fut par un motif de cas de conscience :

J'allai droit à mon traître en faire confidence ;

Et son raisonnement me vint persuader

De lui donner plutôt la cassette à garder,

Afin que, pour nier, en cas de quelque enquête,

---

1. *plains* : regrette.

1590 J'eusse d'un faux-fuyant la faveur toute prête,
Par où ma conscience eût pleine sûreté
À faire des serments contre la vérité[1].

CLÉANTE

Vous voilà mal, au moins si j'en crois l'apparence ;
Et la donation, et cette confidence,
1595 Sont, à vous en parler selon mon sentiment,
Des démarches par vous faites légèrement.
On peut vous mener loin avec de pareils gages ;
Et cet homme sur vous ayant ces avantages,
Le pousser[2] est encor grande imprudence à vous,
1600 Et vous deviez[3] chercher quelque biais plus doux.

ORGON

Quoi ? sous un beau semblant de ferveur si touchante
Cacher un cœur si double, une âme si méchante !
Et moi qui l'ai reçu gueusant[4] et n'ayant rien...
C'en est fait, je renonce à tous les gens de bien :
1605 J'en aurai désormais une horreur effroyable,
Et m'en vais devenir pour eux pire qu'un diable.

CLÉANTE

Hé bien ! ne voilà pas de vos emportements !
Vous ne gardez en rien les doux tempéraments ;
Dans la droite raison jamais n'entre la vôtre,
1610 Et toujours d'un excès vous vous jetez dans l'autre.
Vous voyez votre erreur, et vous avez connu
Que par un zèle feint vous étiez prévenu[5] ;
Mais pour vous corriger, quelle raison demande
Que vous alliez passer dans une erreur plus grande,
1615 Et qu'avecque le cœur d'un perfide vaurien
Vous confondiez les cœurs de tous les gens de bien ?
Quoi ? parce qu'un fripon vous dupe avec audace

---

1. technique de la restriction mentale (cf. « Sources de Tartuffe, le pamphlet », p. 165).
2. *le pousser* : à bout.
3. *vous deviez* : vous auriez dû (sens classique, et latin, de l'imparfait de l'indicatif des verbes *pouvoir* et *devoir* pour marquer l'irréel du passé).
4. *gueusant* : vêtu comme un gueux.
5. *prévenu* : abusé par des préventions, trompé.

Sous le pompeux éclat d'une austère grimace,
Vous voulez que partout on soit fait comme lui,
1620 Et qu'aucun vrai dévot ne se trouve aujourd'hui?
Laissez aux libertins• ces sottes conséquences;
Démêlez la vertu d'avec ses apparences,
Ne hasardez jamais votre estime trop tôt,
Et soyez pour cela dans le milieu qu'il faut :
1625 Gardez-vous, s'il se peut, d'honorer l'imposture,
Mais au vrai zèle aussi n'allez pas faire injure[1];
Et s'il vous faut tomber dans une extrémité,
Péchez plutôt encor de cet autre côté.

SCÈNE 2. DAMIS, ORGON, CLÉANTE

DAMIS
Quoi? mon père, est-il vrai qu'un coquin vous menace?
1630 Qu'il n'est point de bienfait qu'en son âme il n'efface,
Et que son lâche orgueil, trop digne de courroux,
Se fait de vos bontés des armes contre vous?

ORGON
Oui, mon fils, et j'en sens des douleurs non pareilles.

DAMIS
Laissez-moi, je lui veux couper les deux oreilles :
1635 Contre son insolence on ne doit pas gauchir[2],
C'est à moi, tout d'un coup, de vous en affranchir,
Et pour sortir d'affaire, il faut que je l'assomme.

CLÉANTE
Voilà tout justement parler en vrai jeune homme.
Modérez, s'il vous plaît, ces transports éclatants :
1640 Nous vivons sous un règne et sommes dans un temps
Où par la violence on fait mal ses affaires.

1. *injure* : injustice (cf. lat. *injuria*).
2. *gauchir* : biaiser.

SCÈNE 3. MADAME PERNELLE, MARIANE, ELMIRE, DORINE, DAMIS, ORGON, CLÉANTE

MADAME PERNELLE

Qu'est-ce ? J'apprends ici de terribles mystères.

ORGON

Ce sont des nouveautés dont mes yeux sont témoins,
Et vous voyez le prix dont sont payés mes soins.
1645 Je recueille avec zèle un homme en sa misère,
Je le loge et le tiens comme mon propre frère ;
De bienfaits chaque jour il est par moi chargé ;
Je lui donne ma fille et tout le bien que j'ai ;
Et, dans le même temps, le perfide, l'infâme,
1650 Tente le noir dessein de suborner ma femme,
Et non content encor de ces lâches essais,
Il m'ose menacer de mes propres bienfaits,
Et veut, à[1] ma ruine, user des avantages
Dont le viennent d'armer mes bontés trop peu sages,
1655 Me chasser de mes biens, où je l'ai transféré[2],
Et me réduire au point d'où je l'ai retiré.

DORINE

Le pauvre homme !

MADAME PERNELLE

Mon fils, je ne puis du tout croire
Qu'il ait voulu commettre une action si noire.

ORGON

Comment ?

MADAME PERNELLE

Les gens de bien sont enviés toujours.

ORGON

1660 Que voulez-vous donc dire avec votre discours,
Ma mère ?

---

1. *à* : pour, en vue de (lat. *ad* + *accusatif*.)
2. *où je l'ai transféré* : dont je lui ai transmis la propriété.

MADAME PERNELLE

Que chez vous on vit d'étrange sorte,
Et qu'on ne sait que trop la haine qu'on lui porte.

ORGON

Qu'a cette haine à faire avec ce qu'on vous dit ?

MADAME PERNELLE

Je vous l'ai dit cent fois quand vous étiez petit :
1665 La vertu dans le monde est toujours poursuivie ;
Les envieux mourront, mais non jamais l'envie.

ORGON

Mais que fait ce discours aux choses d'aujourd'hui ?

MADAME PERNELLE

On vous aura forgé cent sots contes de lui.

ORGON

Je vous ai dit déjà que j'ai vu tout moi-même.

MADAME PERNELLE

1670 Des esprits médisants la malice est extrême.

ORGON

Vous me feriez damner, ma mère. Je vous di[1]
Que j'ai vu de mes yeux un crime si hardi.

MADAME PERNELLE

Les langues ont toujours du venin à répandre,
Et rien n'est ici-bas qui s'en puisse défendre.

ORGON

1675 C'est tenir un propos de sens bien dépourvu.
Je l'ai vu, dis-je, vu, de mes propres yeux vu,
Ce qu'on appelle vu : faut-il vous le rebattre
Aux oreilles cent fois, et crier comme quatre ?

MADAME PERNELLE

Mon Dieu, le plus souvent l'apparence déçoit[2] :
1680 Il ne faut pas toujours juger sur ce qu'on voit.

1. *di* : dis, rime pour l'œil.
2. *déçoit* : trompe (lat. *decipere*).

ORGON
J'enrage.

MADAME PERNELLE
Aux faux soupçons la nature est sujette,
Et c'est souvent à mal que le bien s'interprète.

ORGON
Je dois interpréter à charitable soin
Le désir d'embrasser ma femme ?

MADAME PERNELLE
Il est besoin,
1685 Pour accuser les gens, d'avoir de justes causes ;
Et vous deviez[1] attendre à vous voir sûr des choses.

ORGON
Hé, diantre ! le moyen de m'en assurer mieux ?
Je devais donc, ma mère, attendre qu'à mes yeux
Il eût... Vous me feriez dire quelque sottise.

MADAME PERNELLE
1690 Enfin d'un trop pur zèle on voit son âme éprise ;
Et je ne puis du tout me mettre dans l'esprit
Qu'il ait voulu tenter les choses que l'on dit.

ORGON
Allez, je ne sais pas, si vous n'étiez ma mère,
Ce que je vous dirais, tant je suis en colère.

DORINE, *à Orgon.*
1695 Juste retour, monsieur, des choses d'ici-bas :
Vous ne vouliez point croire, et l'on ne vous croit pas.

CLÉANTE
Nous perdons des moments en bagatelles pures,
Qu'il faudrait employer à prendre des mesures.
Aux[2] menaces du fourbe on doit ne dormir point.

DAMIS
1700 Quoi ? son effronterie irait jusqu'à ce point ?

---

1. *deviez* : auriez dû.
2. *aux* : devant les.

ELMIRE
Pour moi, je ne crois pas cette instance[1] possible,
Et son ingratitude est ici trop visible.

CLÉANTE
Ne vous y fiez pas : il aura des ressorts
Pour donner contre vous raison à ses efforts ;
1705 Et sur moins que cela, le poids d'une cabale
Embarrasse les gens dans un fâcheux dédale.
Je vous le dis encore : armé de ce qu'il a,
Vous ne deviez jamais le pousser jusque-là.

ORGON
Il est vrai ; mais qu'y faire ? À[2] l'orgueil de ce traitre,
1710 De mes ressentiments je n'ai pas été maître.

CLÉANTE
Je voudrais, de bon cœur, qu'on pût entre vous deux
De quelque ombre de paix raccommoder les nœuds.

ELMIRE
Si j'avais su qu'en main il a de telles armes,
Je n'aurais pas donné matière à tant d'alarmes,
1715 Et mes...

ORGON, *à Dorine, voyant entrer M. Loyal.*
Que veut cet homme ? Allez tôt[3] le savoir.
Je suis bien en état que l'on me vienne voir !

---

1. *instance* : action judiciaire mais aussi policière, que peut intenter Tartuffe afin de rendre la donation irrévocable : il peut perdre Orgon en dénonçant le recel de la cassette.
2. *à : devant.*
3. *tôt* : vite.

Questions

Compréhension

Ensemble du dernier mouvement•

1. *Sur quels périls• se fonde son unité? Quand ce mouvement a-t-il commencé? Quelles en seront les phases et la progression?*
2. *Quel effet produit le dévoilement et l'expulsion de l'intrus? Cherchez-en des indices précis (cf. 1573, 1861...). Est-ce l'effet attendu?*
3. *Pourquoi Orgon est-il désespéré (cf. 1599, 1710, 1713-1714, entre autres)?*
4. *Y a-t-il des solutions juridiques ou pratiques à la crise (cf. 1600, 1707-1710, 1713-1714, 1848-1863)?*

Scène 1

5. *Vers 1573 : Orgon* court-il *vraiment? Appréciez le contraste qu'il forme avec Cléante. Fonction de ce dernier?*
6. ***D'un texte à l'autre :*** *rapprochez les vers 1585-1592 de la IXe* Provinciale *de Pascal.*

Scène 2

7. *Le retour de Damis est-il vraisemblable? Comparez son caractère à celui d'Orgon.*
8. *À quoi servent les vers 1640-1641?*

Écriture

Scène 3

9. *Pourquoi tant de monde sur le théâtre? À quelle scène peut-on penser?*
10. ***Le comique :*** *comparez l'effet• produit par l'attitude d'Orgon dans la scène 1 (v. 1573, 1601-1606) avec celui que produit la scène 3 (cf. v. 1681)? Rapprochez encore les vers 314 et 1621, 235 et 1657, 1118-1124 et 1660-1666, cf. aussi v. 1802-1804.*

La composition chez Molière : *pourquoi un tel passage à ce moment?*

11. ***Hypocrisie et théâtralité :*** *rapprochez les vers 1669, 1671-72, 1676-77, 1679-80, 1688 des vers 331-334 et 1526, ainsi que les vers 1601-1606 de la réponse de Cléante (v. 1609-1622) : à votre avis Mme Pernelle et Orgon sont-ils ridicules, coupables, ou victimes des apparences•? Celles-ci peuvent-elles tromper au théâtre?*

SCENE 4. MONSIEUR LOYAL, MADAME PERNELLE, ORGON, DAMIS, MARIANE, DORINE, ELMIRE, CLÉANTE

MONSIEUR LOYAL
Bonjour, ma chère sœur, faites, je vous supplie,
Que je parle à monsieur.

DORINE
Il est en compagnie,
Et je doute qu'il puisse à présent voir quelqu'un.

MONSIEUR LOYAL
1720 Je ne suis pas pour être en ces lieux importun.
Mon abord n'aura rien, je crois, qui lui déplaise;
Et je viens pour un fait dont il sera bien aise.

DORINE
Votre nom?

MONSIEUR LOYAL
Dites-lui seulement que je vien[1]
De la part de monsieur Tartuffe, pour son bien.

DORINE, *à Orgon.*
1725 C'est un homme qui vient, avec douce manière,
De la part de monsieur Tartuffe, pour affaire
Dont vous serez, dit-il, bien aise.

CLÉANTE, *à Orgon.*
Il vous faut voir
Ce que c'est que cet homme, et ce qu'il peut vouloir.

ORGON
Pour nous raccommoder il vient ici peut-être :
1730 Quels sentiments aurai-je à lui faire paraître?

CLÉANTE
Votre ressentiment ne doit point éclater;
Et s'il parle d'accord, il le faut écouter.

1. *vien* : rime pour l'œil.

MONSIEUR LOYAL, *à Orgon.*
Salut, monsieur. Le Ciel perde qui vous veut nuire,
Et vous soit favorable autant que je désire !

ORGON, *bas à Cléante.*
1735 Ce doux début s'accorde avec mon jugement,
Et présage déjà quelque accommodement.

MONSIEUR LOYAL
Toute votre maison m'a toujours été chère,
Et j'étais serviteur de monsieur votre père.

ORGON
Monsieur, j'ai grande honte et demande pardon
1740 D'être sans vous connaître ou savoir votre nom.

MONSIEUR LOYAL
Je m'appelle Loyal, natif de Normandie,
Et suis huissier à verge[1], en dépit de l'envie.
J'ai depuis quarante ans, grâce au Ciel, le bonheur
D'en exercer la charge avec beaucoup d'honneur ;
1745 Et je vous viens, monsieur, avec votre licence[2],
Signifier l'exploit[3] de certaine ordonnance[4]...

ORGON
Quoi ? vous êtes ici... ?

MONSIEUR LOYAL
Monsieur, sans passion :
Ce n'est rien seulement qu'une sommation,
Un ordre de vuider d'ici, vous et les vôtres,
1750 Mettre vos meubles hors, et faire place à d'autres,
Sans délai ni remise, ainsi que besoin est...

ORGON
Moi, sortir de céans ?

---

1. *à verge* : attribut de l'huissier dans l'exercice de ses fonctions. Il en touchait ceux qu'il saisissait. Ici, rappel symbolique des bâtons de la farce.
2. *licence* : permission (archaïsme juridique).
3. *exploit* : acte de saisie.
4. *ordonnance* : décision de justice (Tartuffe est allé vite en besogne ! Pourquoi cette invraisemblance ?).

MONSIEUR LOYAL

Oui, monsieur, s'il vous plaît.
La maison à présent, comme savez de reste,
Au bon monsieur Tartuffe appartient sans conteste,
1755 De vos biens désormais il est maître et seigneur,
En vertu d'un contrat duquel je suis porteur :
Il est en bonne forme, et l'on n'y peut rien dire.

DAMIS, *à M. Loyal.*
Certes cette impudence est grande, et je l'admire.

MONSIEUR LOYAL
Monsieur, je ne dois point avoir affaire à vous ;
1760 C'est à monsieur : il est si raisonnable et doux
Et d'un homme de bien il sait trop bien l'office[1],
Pour se vouloir du tout opposer à justice.

ORGON
Mais...

MONSIEUR LOYAL

Oui, monsieur, je sais que pour un million
Vous ne voudriez pas faire rébellion,
1765 Et que vous souffrirez, en honnête personne,
Que j'exécute ici les ordres qu'on me donne.

DAMIS
Vous pourriez bien ici sur votre noir jupon[2],
Monsieur l'huissier à verge, attirer le bâton.

MONSIEUR LOYAL
Faites que votre fils se taise ou se retire,
1770 Monsieur. J'aurais regret d'être obligé d'écrire,
Et de vous voir couché dans mon procès-verbal.

DORINE, *à part.*
Ce monsieur Loyal porte un air bien déloyal !

---

1. *l'office* : le devoir.
2. *jupon* : robe ou pourpoint de l'huissier.

MONSIEUR LOYAL

Pour tous les gens de bien j'ai de grandes tendresses,
Et ne me suis voulu, monsieur, charger des pièces[1]
1775 Que pour vous obliger et vous faire plaisir,
Que pour ôter par là le moyen d'en choisir[2]
Qui[3], n'ayant pas pour vous le zèle qui me pousse,
Auraient pu procéder d'une façon moins douce.

ORGON

Et que peut-on de pis que d'ordonner aux gens
1780 De sortir de chez eux ?

MONSIEUR LOYAL

On vous donne du temps,
Et jusques à demain je ferai surséance[4]
À l'exécution, monsieur, de l'ordonnance.
Je viendrai seulement passer ici la nuit,
Avec dix de mes gens, sans scandale et sans bruit.
1785 Pour la forme, il faudra, s'il vous plaît, qu'on m'apporte,
Avant que se coucher, les clefs de votre porte.
J'aurai soin de ne pas troubler votre repos,
Et de ne rien souffrir[5] qui ne soit à propos.
Mais demain, du matin, il vous faut être habile[6]
1790 À[7] vuider de céans jusqu'au moindre ustensile :
Mes gens vous aideront, et je les ai pris forts,
Pour vous faire service à tout mettre dehors.
On n'en peut pas user mieux que je fais, je pense ;
Et comme je vous traite avec grande indulgence,
1795 Je vous conjure aussi, monsieur, d'en user bien,
Et qu'au dû de ma charge on ne me trouble en rien.

ORGON, *à part.*

Du meilleur de mon cœur je donnerais sur l'heure
Les cent plus beaux louis de ce qui me demeure,

1. *des pièces* : pièces écrites ordonnant la saisie.
2-3. *d'en choisir qui...* : que l'on choisisse parmi les huissiers certains qui...
4. *surséance* : sursis.
5. *souffrir* : tolérer.
6-7. *habile à* : en mesure de.

Et pouvoir[1], à plaisir, sur ce mufle assener
1800 Le plus grand coup de poing qui se puisse donner.

CLÉANTE, *bas à Orgon.*
Laissez, ne gâtons rien.

DAMIS
À[2] cette audace étrange
J'ai peine à me tenir, et la main me démange.

DORINE
Avec un si bon dos, ma foi, monsieur Loyal,
Quelques coups de bâton ne vous siéraient pas mal.

MONSIEUR LOYAL
1805 On pourrait bien punir ces paroles infâmes,
Mamie, et l'on décrète[3] aussi contre[4] les femmes.

CLÉANTE
Finissons tout cela, monsieur : c'en est assez;
Donnez tôt ce papier, de grâce, et nous laissez.

MONSIEUR LOYAL
Jusqu'au revoir. Le Ciel vous tienne tous en joie!

ORGON
1810 Puisse-t-il te confondre[5], et celui qui t'envoie!

SCÈNE 5. ORGON, CLÉANTE, MARIANE, ELMIRE, MADAME PERNELLE, DORINE, DAMIS

ORGON
Hé bien, vous le voyez, ma mère, si j'ai droit[6],
Et vous pouvez juger du reste par l'exploit :
Ses trahisons enfin vous sont-elles connues?

1. *et pouvoir* : pour pouvoir.
2. *à* : devant.
3-4. *décrète contre* : sévit pénalement contre.
5. *confondre* : anéantir.
6. *droit* : elliptique : de me plaindre.

MADAME PERNELLE
Je suis toute ébaubie[1], et je tombe des nues!

DORINE
1815 Vous vous plaignez à tort, à tort vous le blâmez,
Et ses pieux desseins par là sont confirmés :
Dans l'amour du prochain sa vertu se consomme[2];
Il sait que très souvent les biens corrompent l'homme,
Et par charité pure, il veut vous enlever
1820 Tout ce qui vous peut faire obstacle à vous sauver.

ORGON
Taisez-vous : c'est le mot qu'il vous faut toujours dire.

CLÉANTE, *à Orgon.*
Allons voir quel conseil[3] on doit vous faire élire[4].

ELMIRE
Allez faire éclater[5] l'audace de l'ingrat.
Ce procédé[6] détruit la vertu[7] du contrat;
1825 Et sa déloyauté va paraître trop noire,
Pour souffrir qu'il en ait le succès qu'on veut croire.

SCÈNE 6. VALÈRE, ORGON, CLÉANTE, ELMIRE, MARIANE, MADAME PERNELLE, DAMIS, DORINE

VALÈRE
Avec regret, monsieur, je viens vous affliger;
Mais je m'y vois contraint par le pressant danger.
Un ami, qui m'est joint d'une amitié fort tendre,
1830 Et qui sait l'intérêt qu'en vous j'ai lieu de prendre,

1. *ébaubie* : rendue bègue de surprise.
2. *se consomme* : atteint son comble (vocabulaire dévot).
3. *conseil* : résolution.
4. *élire* : choisir.
5. *éclater* : rendre publique (par une action en justice).
6. *ce procédé* : le dol (tromperie).
7. *la vertu* : la validité.

A violé pour moi, par un pas[1] délicat,
Le secret que l'on doit aux affaires d'État,
Et me vient d'envoyer un avis dont la suite
Vous réduit au parti d'une soudaine fuite.
1835 Le fourbe qui longtemps a pu vous imposer[2]
Depuis une heure au Prince[3] a su vous accuser,
Et remettre en ses mains, dans les traits qu'il vous jette[4],
D'un criminel d'État l'importante cassette,
Dont, au mépris, dit-il, du devoir d'un sujet,
1840 Vous avez conservé le coupable secret.
J'ignore le détail du crime qu'on vous donne ;
Mais un ordre est donné contre votre personne ;
Et lui-même est chargé, pour mieux l'exécuter,
D'accompagner celui qui vous doit arrêter.

CLÉANTE
1845 Voilà ses droits armés ; et c'est par où le traître
De vos biens qu'il prétend[5] cherche à se rendre maître.

ORGON
L'homme est, je vous l'avoue, un méchant animal !

VALÈRE
Le moindre amusement vous peut être fatal.
J'ai, pour vous emmener, mon carrosse à la porte,
1850 Avec mille louis qu'ici je vous apporte.
Ne perdons point de temps : le trait est foudroyant,
Et ce sont de ces coups que l'on pare en fuyant.
À[6] vous mettre en lieu sûr je m'offre pour conduite[7],
Et veux accompagner jusqu'au bout votre fuite.

ORGON
1855 Las ! que ne dois-je point à vos soins obligeants !

---

1. *pas* : démarche.
2. *vous imposer* : vous en imposer, faire l'imposteur.
3. *Prince* : roi.
4. *dans les traits qu'il vous jette* : parmi les calomnies qu'il lance contre vous.
5. *qu'il prétend* : auxquels il prétend.
6. *à* : pour.
7. *conduite* : guide.

Pour vous en rendre grâce il faut un autre temps[1] ;
Et je demande au Ciel de m'être assez propice,
Pour reconnaître un jour ce généreux service.
Adieu : prenez le soin, vous autres...

CLÉANTE

Allez tôt :

1860 Nous songerons, mon frère, à faire ce qu'il faut,

Mise en scène de Roger Planchon, théâtre de la Porte Saint-Martin (1977).

1. *temps* : moment.

Questions

Compréhension

Scène 4

1. *De quoi résulte l'intervention de M. Loyal ?*
2. *Autour de quel centre gravite la scène ? Pourquoi ? Qu'expriment les réactions des uns et des autres ?*
3. *Justifiez le nom de l'huissier. À quel autre fait-il penser ? La ressemblance est-elle fortuite ?*
4. *Vers 1749-1751, 1780-1792 : dans quelle atmosphère nous plongent ces tableaux ?*

Scène 5

5. *La manœuvre de Tartuffe est-elle conforme au droit (v. 1823-1826) ?*

Scène 6

6. *Quel cinquième péril• porte la crise à son paroxysme ? À quel vers a commencé sa préparation ? Y a-t-il des solutions ? (cf. v. 1848-1854). En vous reportant au contexte historique, mesurez-en la gravité (cf. v. 1597, 1713, 1840-41).*
7. *Montrez que cette action correspond à une ultime étape dans l'ambition et l'ascension sociale du Tartuffe.*

Écriture

Scène 4

8. *De quel genre trouve-t-on les vestiges aux vers 1768 et 1803-1804 ? Pourquoi cette allusion et cet effacement ?*

Scène 6

9. *Comparez l'ultime péril aux précédents. Comment Molière interprète-t-il l'unité d'action ?*
10. *Pourquoi Molière fait-il revenir Valère ? Un autre n'eût-il pu faire la commission ? (cf. les usages dramaturgiques du dénouement, et v. 1962-1963). L'intrigue tourne-t-elle au tragique ? Rapprochez les vers 1848-1858 des trois derniers vers : à quoi songe Molière ?*
11. *Combien de temps s'est écoulé depuis le baisser du rideau (v. 1836) ? Combien en prendraient, en réalité, les actions du dernier acte ? Conclusions ?*
12. *La cassette est-elle un élément improvisé ? Quels indices avons-nous eus de son existence, et, depuis le début, de la dimension politique de la pièce ?*

SCÈNE DERNIÈRE. L'EXEMPT, TARTUFFE, VALÈRE ORGON, ELMIRE, MARIANE, MADAME PERNELLE, DORINE, CLÉANTE, DAMIS

TARTUFFE

Tout beau, monsieur, tout beau, ne courez point si vite :
Vous n'irez pas fort loin pour trouver votre gîte,
Et de la part du Prince on vous fait prisonnier.

ORGON

Traître, tu me gardais ce trait pour le dernier ;
1865 C'est le coup, scélérat, par où tu m'expédies,
Et voilà couronner toutes tes perfidies.

TARTUFFE

Vos injures n'ont rien à me pouvoir aigrir[1],
Et je suis pour le Ciel appris à tout souffrir.

CLÉANTE

La modération est grande, je l'avoue.

DAMIS

1870 Comme du Ciel l'infâme impudemment se joue !

TARTUFFE

Tous vos emportements ne sauraient m'émouvoir,
Et je ne songe à rien qu'à faire mon devoir.

MARIANE

Vous avez de ceci grande gloire à prétendre,
Et cet emploi pour vous est fort honnête à prendre.

TARTUFFE

1875 Un emploi ne saurait être que glorieux,
Quand il part du pouvoir[2] qui m'envoie en ces lieux.

ORGON

Mais t'es-tu souvenu que ma main charitable,
Ingrat, t'a retiré d'un état misérable ?

---

1. *à me pouvoir aigrir* : qui puisse m'aigrir.
2. *pouvoir* : celui du roi.

TARTUFFE
Oui, je sais quels secours j'en ai pu recevoir ;
1880 Mais l'intérêt du Prince est mon premier devoir ;
De ce devoir sacré la juste violence
Étouffe dans mon cœur toute reconnaissance,
Et je sacrifierais à de si puissants nœuds[1]
Ami, femme, parents, et moi-même avec eux.

ELMIRE
1885 L'imposteur !

DORINE
Comme il sait de traîtresse manière,
Se faire un beau manteau de tout ce qu'on révère !

CLÉANTE
Mais s'il est si parfait que vous le déclarez,
Ce zèle qui vous pousse et dont vous vous parez,
D'où vient que pour paraître il s'avise d'attendre
1890 Qu'à poursuivre sa femme il[2] ait su vous surprendre,
Et que vous ne songez à l'aller dénoncer
Que lorsque son honneur l'oblige à vous chasser ?
Je ne vous parle point, pour devoir en distraire,
Du don de tout son bien qu'il venait de vous faire ;
1895 Mais le voulant traiter en coupable aujourd'hui,
Pourquoi consentiez-vous à rien[3] prendre de lui ?

TARTUFFE, *à l'Exempt.*
Délivrez-moi, monsieur, de la criaillerie,
Et daignez accomplir votre ordre, je vous prie.

L'EXEMPT
Oui, c'est trop demeurer sans doute à l'accomplir :
1900 Votre bouche à propos m'invite à le remplir ;
Et pour l'exécuter, suivez-moi tout à l'heure
Dans la prison qu'on doit vous donner pour demeure.

---

1. *nœuds* : obligations.
2. *il* : le pronom change d'antécédent, et désigne, ici, non plus le « zèle » de Tartuffe, mais Orgon.
3. *rien* : quelque chose que ce soit.

TARTUFFE

Qui ? moi, monsieur ?

L'EXEMPT

Oui, vous.

TARTUFFE

Pourquoi donc la prison ?

L'EXEMPT

Ce n'est pas vous à qui j'en veux rendre raison.
(À Orgon.)
1905 Remettez-vous, monsieur, d'une alarme si chaude.
Nous vivons sous un Prince ennemi de la fraude,
Un Prince dont les yeux se font jour[1] dans les cœurs,
Et que ne peut tromper tout l'art des imposteurs.
D'un fin discernement sa grande âme pourvue
1910 Sur les choses toujours jette une droite vue ;
Chez elle jamais rien ne surprend trop d'accès[2],
Et sa ferme raison ne tombe en nul excès.
Il donne aux gens de bien une gloire immortelle ;
Mais sans aveuglement il fait briller ce zèle,
1915 Et l'amour pour les vrais ne ferme point son cœur
À tout ce que les faux doivent donner d'horreur.
Celui-ci n'était pas pour[3] le pouvoir surprendre,
Et de pièges plus fins on le voit se défendre.
D'abord il a percé, par ses vives clartés,
1920 Des replis de son cœur toutes les lâchetés.
Venant vous accuser, il s'est trahi lui-même,
Et par un juste trait de l'équité suprême[4],
S'est découvert au Prince un fourbe renommé,
Dont sous un autre nom il était informé ;
1925 Et c'est un long détail d'actions toutes noires
Dont on pourrait former des volumes d'histoires.

1. *se font jour* : voient clair.
2. *ne surprend trop d'accès* : ne prend par surprise un accès trop facile.
3. *n'était pas pour* : n'était pas capable de...
4. *l'équité suprême* : la justice éternelle, celle de Dieu, non celle des hommes. Le roi est en effet sur terre le lieutenant de la divinité, et juge en son nom.

Ce monarque, en un mot, a vers vous[1] détesté[2]
Sa lâche ingratitude et sa déloyauté ;
À ses autres horreurs il a joint cette suite,
1930 Et ne m'a jusqu'ici soumis à sa conduite
Que pour voir l'impudence aller jusques au bout,
Et vous faire par lui faire raison de tout.
Oui, de tous vos papiers, dont il se dit le maître,
Il[3] veut qu'entre vos mains je dépouille le traître.
1935 D'un souverain pouvoir, il brise les liens
Du contrat qui lui fait un don de tous vos biens,
Et vous pardonne enfin cette offense secrète
Où vous a d'un ami fait tomber la retraite[4] ;
Et c'est le prix qu'il donne au zèle qu'autrefois
1940 On vous vit témoigner en appuyant ses droits[5],
Pour montrer que son cœur sait, quand moins on y pense,
D'une bonne action verser la récompense,
Que jamais le mérite avec lui ne perd rien,
Et que mieux que du mal il se souvient du bien.

DORINE

1945 Que le Ciel soit loué !

MADAME PERNELLE

Maintenant je respire.

ELMIRE

Favorable succès[6].

MARIANE

Qui l'aurait osé dire ?

ORGON, *à Tartuffe.*

Hé bien ! te voilà, traître...

CLÉANTE

Ah ! mon frère, arrêtez.
Et ne descendez point à des indignités ;

---

1. *vers vous* : envers vous.
2. *détesté* : maudit.
3. *il* : le roi.
4. *retraite* : exil.
5. cf. v. 181-182.
6. *succès* : issue.

À son mauvais destin laissez un misérable,
1950 Et ne vous joignez point au remords qui l'accable :
Souhaitez bien plutôt que son cœur en ce jour
Au sein de la vertu fasse un heureux retour,
Qu'il corrige sa vie en détestant son vice
Et puisse du grand Prince adoucir la justice,
1955 Tandis qu'à sa bonté vous irez à genoux
Rendre ce que demande un traitement si doux.

ORGON

Oui, c'est bien dit : allons à ses pieds avec joie
Nous louer des bontés que son cœur nous déploie.
Puis, acquittés un peu de ce premier devoir,
1960 Aux justes soins d'un autre il nous faudra pourvoir,
Et par un doux hymen couronner en Valère
La flamme d'un amant généreux• et sincère.

Questions

Compréhension

1. *Pourquoi Tartuffe revient-il, tout pouvant désormais se dérouler sans lui (cf. allusion, ton, effet des vers 1881-1884) ?*
2. *Porte-t-il encore le masque ? À quel moment le sent-on glisser ? Est-ce du Ciel qu'il se réclame le plus à présent ? La religion lui est-elle donc essentielle ? Quelle est l'importance de l'exclamation d'Elmire au vers 1885 ?*
3. *Justifiez l'intervention du roi. Montrez la différence entre la justice du Prince et celle des hommes de loi (cf. v. 1907-1909, 1919-1920, 1935-1936, 1943). L'Exempt (v. 1904-1944) est-il le truchement de Molière ? Pourquoi cet éloge du roi ?*

Écriture

4. *Pourquoi Tartuffe entre-t-il* accompagné *de l'Exempt ? À quoi servaient les vers 1843-1844 ?*
5. *Quand et comment Tartuffe s'aperçoit-il qu'il a perdu ? (cf. v. 1897-98 : quel état d'esprit peut-on lui supposer ?) Qu'a de remarquable le choix de ce moment ? Appréciez comment Molière en manifeste l'intensité dans le dialogue et la versification.*
6. ***Hypocrisie et théâtralité :*** *ne manque-t-il pas à la pièce une scène attendue ? Pourriez-vous dire par exemple si Tartuffe est athée ou croyant ? De quels procédés de théâtre Molière s'est-il passé ? Pourquoi ? Comment nous a-t-il révélé la nature de Tartuffe ? D'où vient la* force *du dénouement ?*
7. *Un dénouement doit être* nécessaire, complet, rapide, *et dans la comédie,* heureux. *Celui-ci satisfait-il à ces exigences ?*
8. *Molière ne met pas le roi en scène : pourquoi ? Le langage parvient pourtant à donner un substitut de sa présence : montrez-le d'après la composition et le ton de la tirade de l'Exempt.*
9. *Quelle qualité domine chez le roi ? De quel personnage offre-t-il l'image inversée ?*
10. ***Le temps :*** *relevez les indications de temps v. 20, 79, 181, 225, 1177-1178, 1266, 1277, 1589, 1664, 1783, 1836, 1939, ainsi que le vocabulaire relatif au temps ou au rythme dans les v. 6, 467, 1128, 1138, 1177, 1351, 1446, 1453, 1531, 1556, 1573, 1851. Molière respecte-*

t-il l'unité de temps ? Montrez que le temps n'est pas un simple cadre mais qu'il a ici une fonction.

La portée de la pièce

11. ***La question des apparences• :*** *d'après la* Lettre sur l'Imposteur. *« Le ridicule est donc la forme extérieure et sensible que la providence de la nature a attachée à tout ce qui est déraisonnable, pour nous en faire apercevoir et nous obliger à le fuir. » De quel aspect de la pensée de Molière peut-on rapprocher cette confiance dans la « providence de la nature » et dans les apparences ?*

La vraie nature de la tartufferie

12. *Relisez la* Préface : *« Si l'emploi de la comédie est de corriger les vices des hommes, je ne vois pas par quelle raison il y en aura de privilégiés.* Celui-ci *(l'hypocrisie)* est, dans l'État, d'une conséquence bien plus dangereuse que tous les autres. » *En quoi la tartufferie est-elle essentiellement politique ? Relisez les vers suivants en vous demandant quelles conditions rendent possible la tartufferie, quels sont ses buts et ses procédés : cf. v. 363-64, 377-378, 367-368, 372, 374 deuxième hémistiche, 397, 1885-86; rapprochez-les des vers 1863, 1875-1876, 1880.*

13. *Pourriez-vous tirer de l'histoire contemporaine ou de l'actualité des exemples de « dévots » d'un nouveau genre ? Tartuffe figure-t-il un type• ?*

Mise en scène

14. *On a parfois coupé l'Exempt à la représentation : qu'en pensez-vous ? Planchon le conserva, donnant même à l'arrivée de l'Exempt une allure fantastique. Une bombe éclatait, qui laissait Orgon et sa famille hébétés. Ils se trouvaient rétablis dans leurs droits, mais comme nus dans la main du Prince omniscient : Planchon voulait dénoncer le caractère arbitraire, violent et « policier » de l'absolutisme. Que pensez-vous de son interprétation ?*

Bilan

L'action

Tous les périls• n'étaient pas encore complètement *résolus. Si depuis le quatrième acte Mariane ne risquait plus d'épouser Tartuffe ou d'entrer au couvent, encore fallait-il qu'Orgon pût recouvrer son bien pour être à nouveau en état de la marier! Le bonheur des jeunes gens, et le retour à l'ordre au sein de la famille, exigeaient la « déconfiture » de Tartuffe.*
Mais il n'était qu'un moyen de conduire avec naturel *un tel personnage jusqu'à sa perte : en pousser le caractère jusqu'à son apogée, d'où il ne pourrait que triompher ou choir.*
Or, Molière a préféré, plutôt que l'unité d'action, une technique de « l'engrenage ». Enchaînant des périls de plus en plus graves, il pousse donc ici l'ambition de Tartuffe — et de la pièce — jusqu'à leur ultime palier. Mais celui-ci ne peut qu'être politique : sans l'intervention de l'État, Tartuffe ne saurait être pleinement découvert ni mis hors de nuire.

Les personnages

C'est que la tartufferie n'est point un simple défaut du caractère ou des mœurs. Les tartuffes ne sont pas de banals hypocrites•, ce sont ceux qui, dans toute société, captent à leur profit les valeurs les plus révérées *(v. 1885-1886), autrement dit* les valeurs-tabous. *Ils s'en assurent une sorte de monopole, se poussent ainsi — sous le « manteau » — dans les allées du pouvoir, infiltrent l'appareil d'État, le colonisent au service de leur « secte ». La tartufferie est bien un « parasitisme• », mais c'est un parasitisme de la chose publique, quels que soient le régime et les valeurs « consacrées »* du moment. *Molière ne pouvait le montrer avec plus d'éclat que par un tel dénouement. Pour la première fois dans la littérature, il vient de réussir l'analyse du pire ennemi public : l'homme à la « langue de bois ». C'est un prototype, assurément d'avant-garde, et promis à une éternelle carrière! Le dénouement ne pouvait donc être acquis que lorsque les écailles seraient enfin tombées des yeux d'Orgon, puis de ceux de Mme Pernelle.*

La leçon est claire; elle est celle d'Épicure : les apparences• sont des données de la Nature. Comme tout ce qui vient de la Nature, elles ne sauraient mentir. Encore faut-il qu'on ne nous en occulte point la vue sous l'œillère des idéologies... Le bon gouvernement est donc celui qui, majestueusement, fait triompher la Nature dans le discours de la Loi, mettant en accord l'être et le paraître. D'où l'éloge du roi-philosophe : ce « Prince ennemi de la fraude » est un ancêtre du despote éclairé dont rêveront les Lumières.
Discuter la nécessité d'un tel dénouement, c'est ou ne pas comprendre la pièce, ou ôter à la juridiction du rire le droit de connaître des vices d'État.

L'écriture

Molière a su retarder l'ultime péripétie jusqu'au vers 1903, les six premières scènes de l'acte n'étant remplies que par une attente, que la « technique de l'engrenage » rend de plus en plus angoissante. Par ce renversement si retardé et proprement inouï, il provoque l'un des plus grands effets de surprise du répertoire.
Conformément à la tradition, il fait progressivement revenir sur scène tous ses personnages pour le dénouement. Il provoque ainsi un intense mouvement dramatique•, qui, en rappelant l'animation de la première scène, souligne la perfection quasi circulaire de la composition.
En un moment aussi dramatique, l'humour et le comique ne perdent jamais leurs droits : par exemple, Orgon ne parvenant pas à détromper sa mère, c'est un peu « l'arroseur arrosé » ! La farce équilibrant toujours le drame, l'unité de ton est parfaitement maintenue.

DATES	ÉVÉNEMENTS HISTORIQUES	ÉVÉNEMENTS CULTURELS
1610	Règne de Louis XIII.	
1618	Début de la guerre de Trente Ans.	
1620		Invention du microscope.
1622	Paix de Montpellier avec les protestants.	
1623		Corneille, *Mélite.*
1627	Richelieu assiège La Rochelle, place protestante.	
1629		Fondation de la Compagnie du Saint-Sacrement.
1631		
1632		Galilée, *Dialogue sur les deux principaux systèmes du Monde.* Condamnation de Galilée.
1634		Corneille, *La Place royale.*
1635	La France entre dans la guerre de Trente Ans.	Fondation de l'Académie française.
1636		Corneille, *Le Cid.*
1637		Descartes, *Discours de la Méthode.*
1640		L'*Augustinus* de Jansenius. Corneille, *Horace.*
1641		Corneille, *Cinna, Polyeucte.* D'Ouville *Les Fausses Vérités* (comédie, une des sources de *Tartuffe*).
1642	Mort de Richelieu.	
1643	Mort de Louis XIII, régence d'Anne d'Autriche, et gouvernement de Mazarin.	
1644		Corneille, *Le Menteur.*
1646		
1648	La Fronde (→ 1652)	
1650		Mort de Descartes.
1654	Sacre de Louis XIV.	
1655		Scarron, *Les Hypocrites.*
1656		Pascal commence ses *Provinciales* et Spinoza son œuvre philosophique. La Compagnie du Saint-Sacrement crée l'Hôpital général à Paris.
1657		D'Aubignac, *La Pratique du théâtre.*

VIE ET ŒUVRE DE MOLIÈRE	DATES
	1610
	1618
	1620
15 janvier : Naissance à Paris de Jean-Baptiste Poquelin.	1623
	1627
	1629
Jean-Baptiste commence ses humanités au collège de Clermont (l'actuel Louis-le-Grand).	1631
	1632
	1634
	1635
	1636
	1637
Molière commence ses études de droit à Orléans	1640
Il fréquente le philosophe épicurien Gassendi. Projette de traduire le *De Natura Rerum* de Lucrèce.	1641
	1642
Molière renonce à la charge paternelle de « Tapissier du Roi » et fonde l'*Illustre-Théâtre,* troupe ambulante.	1643
Il prend le pseudonyme de « Molière ».	1644
Contribue à écrire des farces : *La Jalousie du Barbouillé* et *Le Médecin volant.*	1646
	1648
Tribulations de l'*Illustre-Théâtre* sur les routes du sud de la France : Toulouse, Agen, Bordeaux, Nantes, Poitiers, Langon, Albi, Carcassonne, Narbonne.	1650
	1654
Première comédie de Molière : *L'Étourdi,* jouée à Lyon.	1655
	1656
	1657

DATES	ÉVÉNEMENTS HISTORIQUES	ÉVÉNEMENTS CULTURELS
1658		
1659	La paix des Pyrénées.	
1661	Mort de Mazarin, règne personnel de Louis XIV : disgrâce de Fouquet.	
1662	Colbert entre au conseil ; Mlle de La Vallière devient la favorite.	
1664	Persécutions contre Port-Royal.	
1665	Colbert contrôleur général des Finances.	
1666	Mort de la mère du roi, Anne d'Autriche.	Boileau, *Satires.* Newton, premiers résultats fondamentaux du calcul différentiel.
1667	Début de la guerre de Dévolution. Siège de Lille.	Milton, *Paradise Lost.* Corneille, *Attila.* Racine, *Andromaque.*
1668	« Paix de l'Église. » Trêve dans la lutte contre les Jansénistes.	Racine, *Les Plaideurs.*
1669		
1670		Racine, *Britannicus.*
1671		Racine, *Bérénice.*
1672	Louis XIV s'installe à Versailles. Guerre de Hollande, passage du Rhin.	Racine, *Bajazet.* Pufendorf, *De Jure naturæ et gentium.*
1673	Prise de Maestricht. Coalition européenne contre Louis XIV.	Corneille, *Pulchérie.* Premier opéra de Lulli.

VIE ET ŒUVRE DE MOLIÈRE	DATES
Molière joue devant le roi, obtient la salle du Petit-Bourbon, et se fixe à Paris.	1658
Les Précieuses ridicules.	1659
Molière s'installe au Palais-Royal, qu'il partage avec Scaramouche.	1661
Molière épouse Armande Béjart. *L'École des femmes.*	1662
28 février : Baptême de Louis, premier enfant de Molière, qui mourra neuf mois plus tard. Le roi a accepté d'en être le parrain. *12 mai* : Le premier *Tartuffe* en trois actes, à Versailles, devant la Cour et le roi, dans le cadre des *Plaisirs de l'Île enchantée.* *13 mai* : Interdiction royale de jouer en public le premier *Tartuffe.* Pamphlet de P. Roullé : *Le Roi glorieux au monde.* *août* : Premier Placet au roi pour *Tartuffe.* *20-27 septembre* : Molière joue son *Tartuffe* devant Monsieur, frère du roi.	1664
15 février : *Dom Juan.* Polémique autour de *Dom Juan.* – *L'Amour médecin.* *14 août* : La troupe devient « Troupe du Roi ». *décembre* : Molière malade.	1665
4 juin : *Le Misanthrope.* 6 août : *Le Médecin malgré lui.*	1666
avril : Molière rechute. 11 août : interdiction totale du second *Tartuffe* : *Panulphe, ou l'Imposteur,* par Mgr. de Péréfixe, archevêque de Paris. 20 août : *Lettre sur l'Imposteur.*	1667
13 janvier : *Amphitryon.* 9 septembre : *L'Avare.* 5 février : *Tartuffe* joué en public dans sa version définitive en cinq actes. 21 février : *Tartuffe* joué devant la reine. 23 mars : édition originale du *Tartuffe ou l'Imposteur,* chez l'imprimeur J. Ribou. 6 juin : seconde édition, avec les trois Placets. 6 octobre : *Monsieur de Pourceaugnac.*	1668
Le Bourgeois gentilhomme.	1670
24 mai : *Les Fourberies de Scapin.*	1671
11 mars : *Les Femmes savantes.* 1er octobre : naissance de Pierre, troisième enfant de Molière. 12 octobre : inhumation de Pierre.	1672
10 févier : *Le Malade imaginaire.* 17 février : mort de Molière, à la quatrième représentation du *Malade imaginaire.*	1673

LE CONTEXTE IDÉOLOGIQUE

L'enthousiasme de la Renaissance est depuis longtemps retombé. L'Occident chrétien en avait reçu le choc culturel le plus formidable de son histoire : avec la découverte de l'Amérique, l'Europe a cessé de se croire le centre de la Création. Depuis Copernic, elle sait que la Terre n'est pas non plus le centre du cosmos•. Tandis que Descartes réduit méthodiquement le langage de la nature à celui des mathématiques, Pascal, seul encore, s'effraie de ces espaces infinis devenus silencieux. L'autorité de la Révélation reste ébranlée, mais, en cette époque de guerres, de famines et d'épidémies, l'espoir humaniste de refonder la morale sur les lumières naturelles de la raison vacille à son tour. Depuis le concile de Trente (1545-1563), l'Église, qui a décidé la « Contre-Réforme », se crispe dans une attitude dogmatique et militante.

Cependant, la Renaissance se poursuit dans les sciences. Les Modernes achèvent de « désenchanter » la nature, qu'ils pensent désormais sur le modèle d'une machine dépourvue d'âme et d'intentions, où tout ne s'accomplit que par action et réaction des corps les uns sur les autres. Cette conception *mécaniste* de la nature (Galilée, Descartes), qui conduit certains à renouer avec le matérialisme d'Épicure (Gassendi, Molière), engendre certaine liberté de pensée en matière de morale et de religion, que l'Église flétrit du nom de « libertinage ». Face aux libertins• qui sont une minorité, se mobilisent les dévots, dont Tartuffe est le type, partisans d'une foi intransigeante, traditionaliste et puritaine. Entre libertins et dévots règne une atmosphère de guerre de religion, qui, dans l'un et l'autre camp, portent des esprits demeurés sectaires à la mauvaise foi et à l'hypocrisie•. C'est ce que dénonce inlassablement Molière, partisan du « naturel », en engageant la comédie dans les combats politiques et religieux de son temps *(Le Tartuffe, Dom Juan)*.

Le baroque• reflète dans les arts cette instabilité de la première moitié du siècle (voir p. 183).

La cabale des dévots

•

Le roi, pour être absolu, ne règne qu'en vertu du droit divin. En chaque royaume de la chrétienté, le règne vient de Dieu. C'est dire qu'il existe deux pouvoirs dans la monarchie. L'Église est, en droit, le premier des deux, le roi lui devant obéissance. Mais doit-il obéissance au pape ? C'est ce que récusent à la fois la couronne et les prélats de France, au nom du « gallicanisme ». La monarchie française ayant refusé à l'Inquisition d'installer ses tribunaux dans le royaume, Rome entreprend de la contrôler : elle favorise un ordre supranational, celui des jésuites, et soutient l'implantation de certaines sociétés secrètes, comme la Compagnie du Saint-Sacrement, fondée en 1629.

D'origine politique, cette société secrète constitue le « parti dévot ». Cette cabale• a déjà combattu Richelieu, Mazarin, puis le jeune Louis XIV. Désavoués par le roi lors de la « journée des Dupes » (10 novembre 1630), les « frères » doivent recourir à l'action semi-clandestine. La charité publique reste l'objectif avoué de leur compagnie. Elle s'occupe des hôpitaux, soulage les maux des indigents en leur distribuant ses aumônes. En 1656, elle fonde à Paris l'Hôpital général. Mais la Compagnie ne s'en tient pas là.

Politique autant que religieuse, elle s'efforce de tenir le pouvoir en dirigeant l'opinion. Par ses directeurs de conscience•, elle s'insinue dans les familles, afin de régenter les esprits et les mœurs. Véritable inquisition clandestine, ses armes sont le chantage et la dénonciation en justice, ses cibles, les libertins•, blasphémateurs, jureurs ou duellistes, voire les femmes, dont elle dénonce aux maris la parure ou les débordements... La Compagnie cherche ainsi à faire interdire les bals, le carnaval, et les foires, où l'on représente des spectacles honnis, les farces•. Les dévots collationnent de véritables fichiers de renseignements, et peuvent ainsi briser quiconque leur résiste. Par leurs

Louis XIV et Molière, *tableau de J. L. Gérôme.*

délations, ils traînent dévotement les blasphémateurs devant les magistrats, et se réjouissent de les voir pendre ou brûler, publiant même la liste, en 1661, de leurs victimes...

Or cette « cabale des dévots » recrutait beaucoup dans la noblesse et parmi les grands personnages de l'État, comme le Prince de Conti, le Premier président du Parlement de Paris, Lamoignon, ou l'archevêque Beaumont de Péréfixe. Permettant à ces opposants ambitieux de s'assembler en secret, elle constituait une conspiration voilée contre la monarchie. En la dénonçant, Molière prenait donc politiquement le parti du roi et des honnêtes gens. Mais il courait aussi un risque considérable. On peut dès lors comprendre quelle bataille il dut livrer pour donner *Tartuffe*, pourquoi la protection du roi ne lui fit jamais défaut, et pourquoi le succès fut aussi vif, une fois la victoire acquise : Molière vengeait la Cour et la Ville d'une odieuse oppression. Il délivrait l'État d'une secte parasite•, et soulageait la majorité silencieuse. (Voir *Dom Juan*, Classiques Hachette, 1991, pp. 132-133.)

Le métier de directeur de conscience

•

Telle est la profession de Tartuffe (v. 187-188). Elle peut étonner aujourd'hui. Il faut se rappeler que le « risque » le plus redouté demeure la damnation (v. 152, 210, 767, 946, 1535). Aussi la pratique de la confession est-elle systématique. Dans les familles aisées, on a recours à des confesseurs personnels, les directeurs de conscience, librement choisis et installés à demeure. Pour bien des « petits collets », c'était là une position flatteuse et enviée. Ces clercs avaient été formés dans les séminaires, ils étaient donc d'Église. Mais celle-ci réservait ses bénéfices les plus lucratifs aux seuls cadets de la noblesse. Dédaignant de devenir curés de village, les « petits collets » refusaient l'ordination, dans l'espoir de faire valoir leurs talents dans quelque famille de la haute bourgeoisie. La Bruyère a peint ces arrivistes avec la même lucidité que Molière. Avec les dévots de la Compagnie du Saint-Sacrement, les directeurs sont le modèle du Tartuffe dans la société du temps.

La casuistique•, voir p. 165. L'Église et l'hypocrisie, voir p. 173. Voir aussi sur l'hypocrisie de Dom Juan, *Dom Juan*, Classiques Hachette, 1991, pp. 145-148.

LE CONTEXTE THÉÂTRAL

Salles et comédiens

•

À Paris, il y a essentiellement trois salles (l'hôtel de Bourgogne, la salle du Marais, et celle du Palais-Royal, qu'avait fait construire Richelieu) et quatre troupes.

Les salles, le plus souvent d'anciens jeux de paume, rectangulaires et allongés, avaient un plateau étroit tout en profondeur. Les comédiens entrant par le fond devaient s'avancer jusqu'à l'avant-scène – ce qui leur prenait un certain temps – pour venir déclamer leurs tirades• face au public, et le plus près possible de lui pour qu'il pût les entendre (d'où la « déclamation ») et les voir (la scène n'était éclairée que par des chandelles). Trop exigu, ce cadre ne permettait guère de changer le décor, aussi celui-ci se limitait-il le plus souvent à un seul lieu. On renonça à y représenter les combats, enlèvements, meurtres ou apparitions, qui passèrent dans les « récits ». La passion des « doctes » pour les pièces « régulières » et les unités de lieu et d'action rencontrait donc, sur ce point, des exigences purement pratiques.

Pour le décor, la seule solution était la méthode italienne : de part et d'autre de la toile de fond, on installait des portants peints en trompe-l'œil. Pour en assurer la compréhension, les premiers plans, maisons, rochers ou colonnades, étaient représentés en entier, de la base au sommet. De ce fait, les acteurs semblaient des géants dans un monde en miniature...

Enfin, en 1630, et jusqu'au XVIIIe siècle, il n'y avait pas de coupure franche entre la scène et le public : les gens de qualité, imitant en cela l'usage espagnol, prenaient place sur le plateau lui-même, ce qui réduisait encore l'espace, déjà très mesuré, où pouvaient évoluer les comédiens. Dans ces conditions, on conçoit la difficulté de réunir sur scène un grand nombre de comédiens et de pratiquer un théâtre de mouvement, ce que fait pourtant Molière dans *Tartuffe*.

Jusqu'au XVIe siècle, les comédiens ne sont que jongleurs, saltimbanques ou bateleurs de foire. La profession n'apparaît comme telle qu'avec le déclin de la société féodale et l'essor de la monarchie bureaucratique. Au XVIIe siècle, les comédiens se recrutent dans la moyenne et petite bourgeoisie. Leur formation s'effectue au cours d'une sorte de compagnonnage, « sur le tas ». Le Conservatoire, la première école de comédiens, n'apparaît qu'au XXe siècle ! Comme dans le *Roman comique* de Scarron, les comédiens du XVIIe étaient à la fois des ambulants – il fallait rechercher le public – et des « fonctionnaires » des Grands ou du roi : réputés « immoraux », ils devaient avoir un protecteur. L'Église ne les excommunie plus, mais leur refuse l'enterrement en terre sacrée s'ils n'abjurent leur état. En plein siècle des Lumières, Rousseau en sera encore à condamner l'immoralité des comédiens ! *(Lettre à d'Alembert sur les Spectacles)*. Enfin, les compagnons de Molière demeurent anonymes : point de vedettes parmi les acteurs du temps. Il faudra attendre le patriotique Talma, à la Révolution, pour lire sur l'affiche le nom des comédiens !

Les genres

•

Depuis la Renaissance, on s'efforçe de faire revivre chacun des genres cultivés par les Anciens. Le renouveau de la comédie doit attendre l'engouement pour le théâtre des années 1630. Richelieu voit dans cette mode un excellent moyen de légitimer la monarchie absolue dans l'opinion. Il prodigue ses encouragements à une pléiade de jeunes auteurs, dont Corneille et Rotrou. L'essor de la comédie date de ce temps. Les faveurs du public vont d'abord à la comédie d'intrigue, qui se développa sous deux formes :

– **La comédie « à l'espagnole »**, imitée de Calderón, Lope de Vega, ou Solorzano. Les ressorts en sont l'amour et l'honneur.

– **La comédie « à l'italienne »** qui est la plus importante. Vers le milieu du XVIIe, elle incline vers la peinture de types psychologiques ou sociaux, se muant peu à peu en **comédie de caractère** ou **de mœurs**. Donneau de Visé et Quinault donnent l'un et l'autre une *Mère coquette* en 1665 et Molière *L'École des Femmes* en 1662. Demeurent toutefois les procédés de la comédie d'intrigue, essentiels au genre : travestissements, quiproquos, enlèvements, substitutions, reconnaissances... Mais l'intrigue, cessant d'être un but en soi, est désormais subordonnée à l'étude des personnages. Naguère simples fonctions• dramaturgiques, ceux-ci s'approfondissent et s'individualisent, leurs portraits gagnent en réalisme psychologique et social.

L'apport de Molière

•

Il déplace l'intérêt du couple d'amoureux vers un personnage qui est pour ainsi dire de son cru, le père maniaque et tyran. Le barbon• qui n'était qu'un obstacle passe au premier plan, comme dans *l'École des femmes* ou *Tartuffe*.

Mais surtout, il *engage* la comédie contre les mœurs de son siècle. D'abord il remplace les personnages de convention par des figures *de son temps* (ce qui donne à ses pièces une intensité de vie qui les range parmi les chefs-d'œuvre éternels), ensuite il fait de la comédie *l'arme d'un combat* philosophique et moral en faveur de la Nature et de la Raison. Enfin, avec *Tartuffe*, pour la première fois, la comédie devient *politique*. *Tartuffe* tient de la **farce**. Molière lui emprunte des personnages génériques : l'ecclésiastique paillard, le mari trompé et aveugle, la femme rusée, ainsi que le comique de gestes (même si le « bâton » n'y est plus que symbolique). La pièce tient aussi de la **comédie d'intrigue** : des amoureux séparés par des obstacles à rebondissements, un dénouement merveilleux et inattendu. Mais c'est avant tout une **comédie de caractère** par l'étude approfondie de l'envoûtement d'Orgon, et plus encore une **comédie de mœurs,** d'une force inégalée, qui, avec l'hypocrisie•, roule sur les rapports de la religion et l'État.

Quand Molière revient à Paris, les Comédiens du Roi ont peu à peu éliminé la farce• au profit de la « grande comédie » en cinq actes et en vers, imitée de la comédie sérieuse italienne, la **commedia sostenuta**. Cherchant à suivre leur exemple, et surtout le goût du public, il a lui aussi progressivement délaissé les farces en un acte, tout en demeurant fidèle à leurs procédés comiques.

SOURCES PROFANES

La comédie

•

La première source du personnage de Tartuffe reste le *parasite*• des comédies latines (cf. le *Phormion* de Térence, par exemple). Plus proche, un personnage de l'Arétin *L'Hypocrite* (*Lo Ipocrito*, 1542) ressemble davantage à Tartuffe : tout en faisant parade de dévotion, il se montre fort porté sur le sexe, et se comporte en parasite glouton. « Messer Ipocrito marche toujours un bréviaire sous le bras », et il éveille le soupçon par « les œillades qu'il lance à Madame ». Mais, différence essentielle, loin de s'indigner du personnage, l'auteur en fait parfois son porte-parole...

La satire

•

Dans la *Satire XIII* de Régnier (1612), la Macette, entremetteuse avide de plaisirs et d'argent, dissimule son commerce sous le voile de la dévotion• : « le péché que l'on cache », dit-elle, « est demi pardonné » (v. 124). Les dévots• y forment aussi une cabale•,

...un étrange commerce,
Un trafic par lequel, au joli temps qui court,
Toute affaire fâcheuse est facile à la Cour. (v. 138-140)

Toujours dans le genre de la satire, on voit chez le poète normand Jacques du Lorens un personnage d'hypocrite qui, comme le premier Tartuffe, porte « le petit collet », et, le bréviaire en main, essaie de circonvenir un riche voisin (1624).

Le romanesque « comique »

•

Dans le domaine du roman dit « comique », le rapprochement le plus significatif se fait avec **Scarron** (1610-1660). Dans sa nouvelle intitulée *Les Hypocrites* (1655), le nom même du cagot, « Montufar », fait songer à celui qu'a choisi Molière. De plus, une scène campe de façon précise l'une des situations que l'on retrouve chez lui : Montufar, en étalant sa dévotion aux yeux de tous, soutire maints avantages matériels à de riches Sévillans. L'un d'eux, comme Damis (III, sc. 4 à 6), le dénonce comme hypocrite. Aussitôt pris à partie par la foule, Montufar bat sa coulpe, supplie ses défenseurs de croire son dénonciateur, implore à ses pieds son pardon :

> *Mes frères, s'écriait-il de toute sa force, laissez-le en paix, pour l'amour du Seigneur ! (...) Je suis le pécheur ; je suis celui qui n'ai jamais rien fait d'agréable aux yeux de Dieu. Pensez-vous, continuait-il, parce que vous me voyez vêtu en homme de bien, que je n'ai pas été toute ma vie un larron ? le scandale des autres, et la perdition de moi-même ? Vous êtes trompés, mes frères : faites, faites-moi le but de vos injures et de vos pierres, et tirez sur moi vos épées.*

Sources espagnoles

•

Scarron situe la scène à Séville : par lui, nous remontons aux sources espagnoles du Tartuffe : *La Fouine de Séville (La Garduna de Sevilla)* de Solorzano, où un ermite caresse une certaine Rufine (traduit par d'Ouville en 1661).

Le pamphlet

•

Dans l'ordre du pamphlet, c'est évidemment chez Pascal que l'on peut trouver l'une des sources les plus sûres de *Tartuffe*, avec *Les Provinciales* (1656-1657). Tartuffe correspond à un type de l'époque, le *directeur de conscience*•, dont la spécialité était la *casuistique*. La casuistique étudiait les *cas* de conscience, c'est-à-dire l'application des règles générales de la morale aux cas particuliers. Mais certains casuistes, des jésuites pour la plupart, l'avaient peu à peu pervertie en un moyen sophistiqué de minimiser toutes les fautes, ce qui aboutissait à une imposture : ils cautionnaient le péché au lieu de le condamner. Relevons parmi les procédés hypocrites de la casuistique la *restriction mentale* (cf. v. 1585-1592) et la *direction d'intention*. Pascal, dans la neuvième *Provinciale*, stigmatise avec ironie la restriction mentale :

> *On peut jurer qu'on n'a pas fait une chose, quoiqu'on l'ait faite effectivement, en tendant en soi-même qu'on ne l'a pas faite un certain jour, ou avant qu'on fût né... sans que les paroles dont on se sert aient aucun sens qui le puisse faire connaître.*

Dans la septième, il s'en prend à la direction d'intention « qui consiste à se proposer pour fin de ses actions un objet permis ». Ainsi, s'agissant du duel, « il n'y a qu'à détourner son intention du désir de vengeance, qui est criminel, pour la porter au désir de défendre son honneur, qui est permis... »
Or, restriction mentale et surtout direction d'intention sont bel et bien la « science » dont Tartuffe, directeur de conscience, propose les secours à Elmire (IV, 5, v. 1489-1494).

C'est par ce moyen que Tartuffe se justifie aux yeux de Cléante de ne point refuser l'héritage de Damis (VI, 1, v. 1243-1248). Et c'est encore ainsi qu'il pourra dénoncer son bienfaiteur sans le moindre scrupule (v. 1872 et 1880).

SOURCES RELIGIEUSES

Enfin il faut signaler les sources du langage dévot dans lequel Tartuffe se déclare à Elmire (III, 3). La poésie baroque (Jean de La Ceppède, Desportes) et les textes de saint François de Sales (1567-1622), *Introduction à la vie dévote, Traité de l'amour de Dieu,* usaient déjà du vocabulaire fleuri de l'amour profane pour évoquer l'amour divin. Cette expression du mysticisme en termes de sensualité convenait particulièrement au caractère et à la situation de Tartuffe. Molière n'a eu garde de l'oublier.

Par là, nous remontons au thème commun du pur amour qui, selon Platon, nous élève de l'amour des beautés terrestres à la contemplation de l'Idée céleste du Beau en soi (cf. *Le Banquet,* discours de Diotime, 203 a-216 b).

Ce dialogue avait au XVIIe siècle inspiré les humanistes dévots, surtout les jésuites. « Diotime n'est-elle pas chrétienne ? demande le père Le Moyne, quand Platon lui fait dire que les beautés inférieures sont comme des degrés par lesquels il faut que l'amour de l'homme s'élève pied à pied jusqu'à ce qu'il arrive à la jouissance de la beauté souveraine. »

Le **Nouveau Testament** a fourni quelques répliques. Il s'agit de certaines expressions hyperboliques des renoncements que doit nous inspirer l'amour du Christ : le vers 274 vient tout droit de saint Paul dans son *Épître aux Philippiens* : « À cause (du Christ), j'ai tout sacrifié et j'estime tout comme du fumier *(omnia arbitror ut stercora)* afin de gagner le Christ ». (III, 8). Luc a pu inspirer les vers 276, 278 et 1884 : « Si quelqu'un vient à moi et ne hait pas son père, sa mère, sa femme, ses enfants, ses frères, ses sœurs, et même sa propre vie, il ne peut être mon disciple. » (XIV, 26).

LES MODÈLES EMPRUNTÉS À L'ACTUALITÉ

Évidemment, Molière s'inspire des frères de la Compagnie du Saint-Sacrement, qui sont sa cible politique. La réplique qu'il emprunte à Lamoignon (cf. p. 5) prouve qu'il pense bien à des personnages comme lui ou Péréfixe. Si l'on en croit Tallemant des Réaux, l'expression « le pauvre homme ! » aurait été faite sur le père Joseph, « l'éminence grise », conseiller de Richelieu. Gabriel de Roquette, évêque d'Autun, fut également cité par les contemporains comme un modèle de Tartuffe (cf. Mme de Sévigné, lettre du 2 septembre 1677). Un voisin de Molière, Charpy de Sainte-Croix, a pu lui inspirer plus particulièrement certains traits de son personnage, d'autant que Tallemant en conte l'aventure dans ses *Historiettes* : un dévot s'installe à demeure chez une veuve, s'éprend de la fille, et décide le mari de la belle à chasser les visites : « Souvent, commente Tallemant, les maris font leur héros de ceux qui les font cocus. » (Cf. v. 195.) Quoi qu'il en soit, la stylisation est si forte dans la comédie moliéresque que le personnage s'y élève à la vérité universelle d'un type•, qui n'est plus celle d'individus particuliers.

LE NOM DE TARTUFFE

Outre le cagot de la nouvelle de Scarron, qui se nomme « Montufar », dans le *Mastigophore* de Fuzy, prêtre apostat, on lit : « Tu n'es qu'un tartuffe, un butor, une happelourde. » Chez Rabelais, on trouve le verbe « trupher », au sens de duper *(Quart Livre, VI)* ; La Bruyère nommera son hypocrite « Onuphre » : il semble donc bien que les sonorités à elles seules aient ici valeur évocatrice.

GENÈSE DE LA PIÈCE AU COURS DE LA BATAILLE DU *TARTUFFE*

L'acharnement de la cabale• contre *L'École des femmes* a donné à Molière l'idée de camper son personnage de dévot. La bataille du *Tartuffe* nous a valu *trois versions successives* de la pièce.

– Du premier *Tartuffe* en trois actes représenté à Versailles en 1664 dans le cadre des *Plaisirs de l'Île enchantée*, il ne nous reste nulle trace, hormis le témoignage du comédien La Grange : on donna, dit-il, « trois actes du *Tartuffe* qui étaient les trois premiers ». La pièce aurait donc été encore inachevée. Le premier Tartuffe, incarné par le farceur Gros René, devait être un avatar du moine paillard de la farce• médiévale, assez éloigné encore de ce qu'il deviendra dans la grande comédie de mœurs de 1669. Dès le 17 avril 1664, la Compagnie du Saint-Sacrement avait eu vent du sujet (comment ?) et elle était dévotement convenue d'empêcher la représentation. Le 12 mai, elle laisse jouer la pièce, pour le plus grand plaisir du roi ; le lendemain, elle s'employait à perdre l'auteur... Deux « frères » de la cabale•, le président du Parlement de Paris, Lamoignon et l'archevêque, ancien précepteur du roi, Beaumont de Péréfixe, pressent le roi de toutes parts. Obligé de composer avec ce puissant parti, le monarque se résout à interdire les représentations publiques de *Tartuffe*. Les dévots se déchaînent alors. Selon l'abbé Roullé, Molière mérite les derniers supplices et « le feu même avant-coureur de celui de l'Enfer » ! L'auteur présente pour sa défense son Premier *Placet* au roi, qui fait la sourde oreille.

– À la mort d'Anne d'Autriche, la mère du roi, elle-même fort dévote, il pense pouvoir donner sa comédie du faux dévot, ce qu'il fait le 5 août 1667, sous un nouveau titre : *L'Imposteur*. Le texte a été adouci, le personnage, devenu Panulphe, n'est plus d'Église, ne porte plus « petit collet ». Le nouvel hypocrite, en homme du monde, arbore « une épée et des dentelles sur tout l'habit » (Second *Placet*)... Mais le roi est au siège de Lille, loin de Paris ; les dévots ont le champ libre : Péréfixe proscrit même les représentations privées ! (Voir p. 173). Le 20 août, un anonyme fait paraître une défense de la pièce : la *Lettre sur l'Imposteur*. Ce commentaire, qu'on dirait parti de la main même de Molière, est la seule trace qu'a laissée cette deuxième version de la pièce. Il en donne toutefois une idée précise puisqu'il contient une analyse suivie de l'action et que certains vers, transposés en prose, y sont même rapportés. Les différences avec la version définitive sont minimes : Cléante s'en prenait à madame Pernelle dès la première scène, Tartuffe se rendait presque digne de pitié en s'excusant de ses tentations sur la faiblesse humaine, Orgon s'emportait aussitôt, sans rien écouter, lorsqu'on lui apprenait la tentative de séduction, et il s'en prenait à la fois à Damis et à Elmire.

– Ces quelques allègements donneront à la pièce définitive un rythme plus rapide et un ton parfois plus juste. Dans celle-ci, Tartuffe ne reviendra pas à l'habit ecclésiastique, mais renonçant aussi à l'élégance mondaine de Panulphe, il deviendra un austère laïc, le directeur de conscience•. Cette trouvaille achève la métamorphose d'un type farcesque en un caractère d'une vérité humaine monstrueuse. Enraciné dans la réalité sociale d'un temps, Tartuffe devient si vrai qu'il est éternel.

L'ACTION

Les « actants » ne sont pas des personnages mais des fonctions. Toutes les « forces » qui font progresser l'action, les personnages, mais aussi des puissances abstraites comme la divinité ou le destin, peuvent figurer dans le « schéma actantiel• ». Celui-ci permet de situer chaque force par rapport à six fonctions fondamentales, toujours les mêmes. Tout récit, qu'il soit dramatisé ou simplement raconté, est centré sur la « quête » d'un personnage, qui devient de ce fait le **sujet•** de l'action. Le but de sa quête est **l'objet•**. Le sujet se heurte à des forces hostiles (**opposants•**), mais il en rencontre d'autres qui l'aident (**adjuvants•**). Enfin, son action peut être inspirée par un instigateur (ou **destinateur•**) et destinée à un bénéficiaire (ou **destinataire•**). **On peut placer tour à tour chacun des personnages principaux en position de sujet.**

Marcel Maréchal (Tartuffe) et Pierre Constant (Orgon), mise en scène de Marcel Maréchal, Théâtre de la Criée, Marseille (1991).

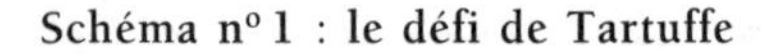

Schéma n° 1 : le défi de Tartuffe

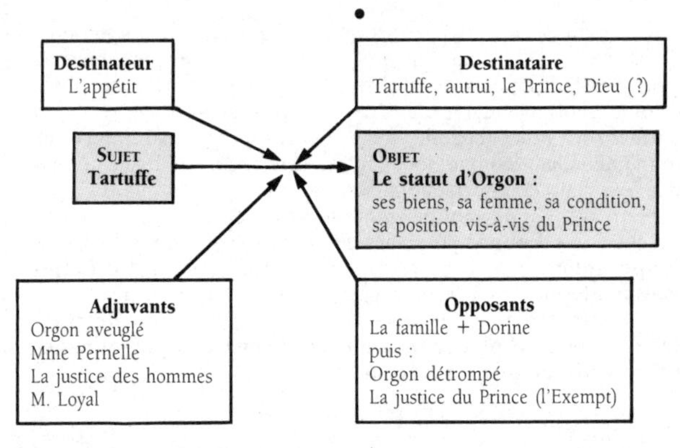

Mais c'est Orgon le protagoniste. Voici ce que devient le schéma quand on place Orgon dans la position du **« sujet » :**

Schéma n° 2 : l'aveuglement d'Orgon

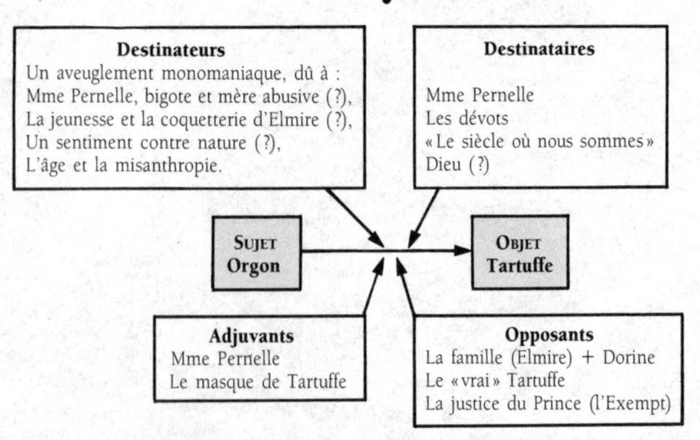

L'action de la pièce ne peut se décrire que par la combinaison de ces deux schémas au moins : Tartuffe n'agit qu'à travers la volonté d'Orgon dont il a fait sa dupe. Mais ils ne sont pas seuls ! Essayez d'interpréter ce schéma en plaçant Elmire, Mariane... ou même le Prince dans la position du **sujet.**

STRUCTURES DE L'ACTION DU TARTUFFE

LA FABLE

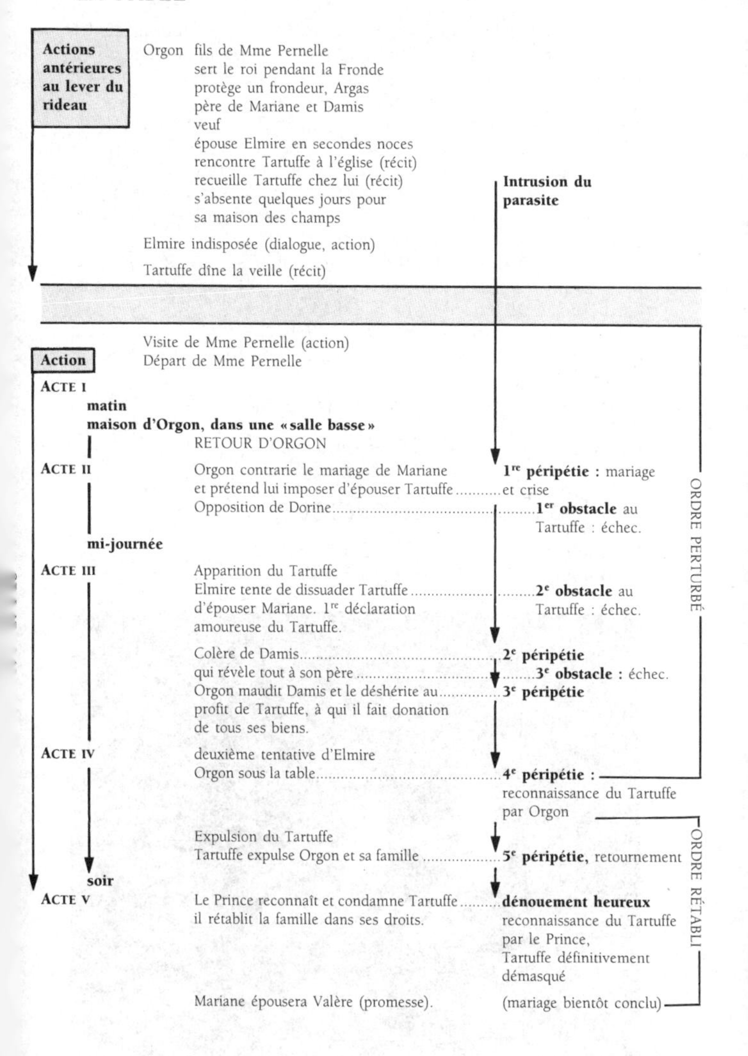

LES CARACTÈRES

– *Bilans* : p. 47, « les caractères » ; p. 76, « l'action et les personnages » ; p. 102, « Elmire » ; p. 125, « les personnages ».
Orgon : *questionnaires* : p. 45, qu. 3-4-5 ; p. 46, qu. 13 ; p. 119, qu. 7 ; p. 124, qu. 6 ; p. 134, qu. 3 et 5.
Tartuffe : *questionnaires* : p. 45, qu. 6-7 ; p. 46, qu. 15-16 ; p. 82, qu. 2 ; p. 89, qu. 5 à 8 ; p. 90, qu. 18 ; p. 112, qu. 5 ; p. 124, qu. 1 ; p. 149, qu. 1 et 2 ; p. 150, qu. 11 ; un faux dévot : pp. 160-162 ; est-il comique ? pp. 176-179 ; est-il baroque ? pp. 182-183. *Bilan* : p. 101. *Parcours thématique* : pp. 205-206 et 209. *Lexique* : article parasite•.
Le couple Orgon-Tartuffe : *questionnaires* : p. 46, qu. 15 ; p. 99, qu. 7 ; *bilan* : p. 47 ; *à propos de l'œuvre* : ci-dessus, « structure de l'action », pp. 172-173 et p. 180.
Elmire : *questionnaires* : p. 89, qu. 9-10 ; p. 99, qu. 2 ; p. 119, qu. 4 ; p. 124, qu. 7 ; *index thématique* : p. 208, « mondaines et mondains, honnêteté/hypocrisie ».
Dorine : *questionnaires* : p. 33, qu. 10 ; p. 74, qu. 2-5-9-12 ; p. 82, qu. 5 ; *bilan* : p. 76, « l'action et les personnages » ; *index thématique* : p. 205, « valets et suivantes ».

LES CADRES DRAMATURGIQUES

L'espace : voir p. 33, question 14.
Le temps : voir p. 149, question 10.

Au XVIIe siècle, *Tartuffe* fut joué 172 fois ; au XVIIIe, 791 fois ; au XIXe, sur un total de 9 553 représentations, la maison de Molière le donna 1 106 fois, *L'Avare* venant ensuite avec 815 représentations. Depuis 1900, *Tartuffe* a été joué plus de mille fois par la Comédie-Française, surtout depuis la guerre (235 représentations entre 1950 et 1960, par exemple). Avec plus de 3 000 représentations, la pièce reste, et de très loin, la plus souvent jouée au Théâtre-Français.

XVIIe SIÈCLE

L'immoralité de la pièce

•

Pour l'archevêque de Paris, Mgr. Beaumont de Hardoin de Péréfixe, ancien précepteur de Louis XIV, *L'Imposteur* est :

> *une comédie très dangereuse et qui est d'autant plus capable de nuire à la religion que, sous prétexte de condamner l'hypocrisie• et la fausse dévotion•, elle donne lieu d'en accuser indifféremment tous ceux qui font profession de la plus solide piété et les expose par ce moyen aux railleries et aux calomnies continuelles des libertins (...) Et l'archevêque fait défenses à toutes personnes de notre diocèse de représenter, sous quelque nom que ce soit, la susdite comédie, de la lire ou entendre réciter, soit en public, soit en particulier, sous peine d'excommunication.*

Ordonnance du 11 août 1667.

Le sermon de Bourdaloue vise directement le *Tartuffe* et montre combien l'hypocrisie constituait pour la casuistique un « cas réservé » :

> *Comme la fausse dévotion tient en beaucoup de choses de la vraie, comme la fausse et la vraie ont je ne sais combien d'actions qui leur sont communes, comme les dehors de l'une et de l'autre sont presque tous semblables, il est non seulement aisé, mais d'une suite presque nécessaire, que la même raillerie qui attaque l'une intéresse l'autre (...) Et voilà, chrétiens, ce qui est arrivé lorsque des esprits profanes, et bien éloignés de vouloir entrer dans les intérêts de Dieu, ont entrepris de censurer l'hypocrisie, non point pour en réformer l'abus, ce qui n'est pas de leur ressort, mais pour faire une espèce de diversion dont le libertinage pût profiter, en concevant et faisant concevoir d'injustes soupçons de la vraie piété, par de malignes représentations de la fausse. Voilà ce qu'ils ont prétendu, exposant sur le théâtre et à la risée publique un hypocrite imaginaire (...)*

Non daté, le *Sermon sur l'Hypocrisie* doit être de 1691 environ.

La *Lettre sur l'Imposteur* contient une analyse et un examen du second *Tartuffe : Panulphe ou l'Imposteur*. L'auteur anonyme prenait la défense de Molière, qui semble lui avoir soufflé de bien près certains arguments... On ne peut, disait-il, confondre fausse et vraie dévotion :

> *Le ridicule est donc la forme extérieure et sensible que la providence de la nature a attachée à tout ce qui est déraisonnable, pour nous en faire apercevoir, et nous obliger à le fuir. Pour connaître ce ridicule, il faut connaître la raison dont il signifie le défaut et voir en quoi elle consiste. Son caractère n'est autre, dans le fond, que la convenance, et sa marque sensible, la bienséance. (...) Si la disconvenance (au contraire) est l'essence du ridicule, il est aisé de voir pourquoi la galanterie de Panulphe paraît ridicule, et l'hypocrisie en général aussi ; car ce n'est qu'à cause que les actions secrètes des bigots ne conviennent pas à l'idée que leur dévote grimace et l'austérité de leurs discours a fait former d'eux au public.*
>
> *Lettre sur l'Imposteur*, anonyme, 20 août 1667.

L'arbitraire du dénouement

•

Certains contemporains de Molière avaient déjà commencé de critiquer le dénouement. Gabriel Saint-Guéret, dans sa *Promenade de Saint-Cloud* (1669), met en scène et fait dialoguer un groupe d'amis :

> *– Encore s'il avait préparé ce dénouement ; mais il n'y a rien qui le dispose ni qui le rende vraiment nécessaire ; car l'affaire n'a pas éclaté (...)*
>
> *– Que ne dénouait-il sa pièce par quelque nullité de la donation ? Cela aurait été plus naturel ; et du moins les gens de robe l'auraient trouvé bon.*

La *Lettre sur l'Imposteur* répond aussi sur ce point, et par une défense radicale : l'éloge le plus poussé de la nécessité et de la justesse du dénouement décrié :

> *Il me semble que, si dans tout le reste de la pièce, l'auteur a égalé tous les anciens et surpassé tous les modernes, on peut dire que dans ce dénouement, il s'est surpassé lui-même, n'y ayant rien de plus grand, de plus magnifique et de plus merveilleux, et cependant rien de plus naturel, de plus heureux et de plus juste, puisqu'on peut dire que s'il était permis d'oser faire le caractère de l'âme de notre grand monarque, ce serait sans doute dans cette plénitude de lumière, cette prodigieuse pénétration d'esprit, et ce discernement merveilleux de toutes choses qu'on le ferait consister, tant il est vrai (...) que le Prince est digne du poète, comme le poète est digne du Prince.*

XIXe et XXe SIÈCLES

Tartuffe est-il comique ?

•

Plus qu'au comique du *Tartuffe*, l'âme romantique se montre sensible à la noirceur du personnage, au tragique de la situation, et au sombre pessimisme qu'on attribue alors à Molière, selon les goûts du temps.

Pour Stendhal :

> *Il n'y a rien de comique à voir Orgon maudire et chasser son fils qui vient d'accuser Tartuffe d'un crime évident ; et cela parce que Tartuffe répond avec des phrases volées au catéchisme et qui ne prouvent rien. L'œil aperçoit tout à coup des profondeurs du cœur humain, mais une profondeur plus curieuse que riante (...) Nous sommes trop attentifs, et j'oserais dire trop passionnés pour rire.*
>
> Stendhal, notes recueillies dans les éditions posthumes de *Racine et Shakespeare.*

Le critique littéraire du *Temps*, Francisque Sarcey, avait déjà bien perçu que dans ce rôle ambigu primait la force du personnage à effets :

> *Tartuffe est sans doute de tous les personnages de Molière le plus malaisé à rendre de façon supérieure. Mais c'est aussi le plus facile à jouer de tous les rôles, car il fait toujours de l'effet, joué n'importe comment. Vous pouvez y mettre soit une passion hautaine et âpre, comme Geofroy, soit une sensibilité libidineuse comme Leroux, soit une paillardise onctueuse comme Febvre ; vous pouvez même n'y mettre rien du tout comme Dupont Vernon, il n'importe, vous ferez toujours de l'effet, parce que le rôle est à effet.*
>
> Francisque Sarcey, Feuilleton dramatique du *Temps*, 1883.

Deux Tartuffes en un seul ?

•

Poussant à l'extrême cette richesse du personnage qui provient de son ambiguïté, Jules Lemaître va jusqu'à dire que la pièce présente non pas une mais deux images de Tartuffe :

> *Le premier Tartuffe* (celui des portraits de Dorine), *est une espèce de grossier bedeau, de rat d'église, aux façons vulgaires et basses. (...) Il est laid, il est physiquement ignoble et répugnant. (...) un truand de sacristie, une trogne à la Callot, un pourceau béat qui, au fond, ne doit pas être bien dangereux.*

> Au contraire, *Molière a conçu un second Tartuffe* (celui qui se déclare à Elmire), *sans trop se soucier de le mettre en accord avec le premier.* Ce dernier est un *homme fort bien élevé, pauvre, mais de bonne tenue, et qui a conservé un valet. (...) Il peut se dire gentilhomme sans trop d'invraisemblance, (...) il a, par endroits, des finesses, des ironies presque imperceptibles.* Bref, Lemaître voit en ce *second Tartuffe, un homme d'une sensualité ardente et délicate, et d'une très souple intelligence.*
>
> *Impressions de théâtre, tome 4,* Paris, Société française d'impression et de librairie, 1892.

Jacques Schérer lui répond :

> *Pourtant, il n'y a qu'un Tartuffe. On ne peut évidemment pas avoir d'un côté ce grossier bedeau, et de l'autre cet homme relativement séduisant et presque estimable que fournit la seconde image. C'est proprement nommer le problème, et non le résoudre, que de décrire ainsi Tartuffe.*

J. Schérer esquisse la solution. Le portrait physique de Dorine, dénonçant les appétits de Tartuffe, est plus moral que physique, malgré les apparences, car :

> *c'est de son intelligence et de son sens du monde que* l'hypocrite *se sert pour les satisfaire. Après tout qu'est-ce que l'hypocrite ? C'est l'attitude de l'esprit et le comportement qui consistent à essayer d'atteindre un but inavouable, honteux, qui serait condamné par la conscience sociale, en se servant pour y parvenir de tous les moyens qu'autorise la société (...). Ainsi, dissocié entre un but et des moyens, le personnage de Tartuffe accepte assez bien les deux images, à première vue hétéroclites, de Jules Lemaître.*
>
> Jacques Schérer, *Structures de Tartuffe,* SEDES, Paris, 1974, première édition 1966.

La nécessité d'unifier ces deux images en un seul Tartuffe conduit à penser que c'est un contre-sens de tirer le rôle vers le « pourceau de sacristie » (Fernand Ledoux) aussi bien que vers l'homme du monde cynique et révolté (Jouvet). L'acteur doit pouvoir avec quelque vraisemblance séduire une mondaine comme Elmire, sans être *a priori* physiquement ridicule. Cynique, Tartuffe ne monterait pas à la cheville de Dom Juan... Ridicule, il ne serait plus qu'un prêtre paillard. Ce serait réduire à la farce une grande comédie de mœurs, l'une des rares où Molière se soit engagé aussi avant sur le terrain politique.

De nos jours, René Bray admet la grandeur du personnage, tout en se refusant à voir dans la pièce un drame :

Même dans la pièce de 1667 ou de 1669, Tartuffe démasqué n'est pas ridicule : il garde une sombre grandeur. Sans doute le portrait est plus poussé et l'indignation peut nous gagner devant la canaillerie du personnage. Mais Molière se garde bien d'écrire un drame : il insiste dans l'acte IV et même dans le dénouement sur l'imbécillité de la dupe ; il fait tout pour nous empêcher d'éprouver la moindre sympathie à son égard.

René Bray, Notice du *Tartuffe*, les Belles-Lettres, 1947.

Tartuffe, un vilain museau ?

•

Telle est la conviction de Jacques Guicharnaud. S'appuyant à la fois sur la lisibilité du rôle sur scène, sur le fait que le spectateur doit immédiatement comprendre qu'Orgon est aveugle, sur la stabilité des types• du théâtre classique, et sur la philosophie épicurienne de Molière, pour qui les apparences•, comme tout ce qui vient de la nature, ne sauraient tromper, M. Guicharnaud soutient qu'on ne peut sentir le ridicule d'Orgon que si le physique de Tartuffe est à l'opposé du dévot qu'il prétend être :

La contradiction immédiatement sensible entre une conception traditionnelle de l'ascétisme dévot et ces traits assure le spectateur de l'hypocrisie• de Tartuffe. D'autre part, de la sorte nous sont révélés les motifs• et les projets de cette hypocrisie : Tartuffe est hypocrite pour mieux consommer. Le faux dévot se double d'un parasite•. Il est fort possible, si l'on ramène le théâtre de Molière à ses origines farcesques, que le parasite soit premier dans la genèse du personnage. (...) Qu'il soit gros et gras n'est pas seulement un trait qui permet de faire ressortir l'aveuglement d'Orgon, de rendre plus dramatique la situation de Mariane, c'est aussi le signe de l'appétit de Tartuffe, de sa puissance d'engloutissement (...)

La tentation est alors peut-être de réduire *Tartuffe* à un personnage de farce• : c'est « Messer Gaster voulant se faire passer pour ascète », écrit J. Guicharnaud, « en dépit de l'habit noir et des comportements de dévot, le personnage est suffisamment gros et rouge pour que le public reconnaisse en lui le goinfre ou le parasite ». C'est sans doute exagérer le côté farcesque. On doit voir dans Tartuffe le contraire de ce qu'il prétend être. Il doit donc avoir l'aspect d'un homme d'*appétit*. Toutefois, son vrai visage ne saurait guère s'identifier à celui du goinfre de farce. Cet appétit doit paraître, mais plutôt comme une force de la nature, qui ne parviendrait plus à se dissimuler... Tartuffe doit à la fois rire *et* inquiéter. Sinon, on affaiblit le génie et l'on méconnaît le genre.

Jacques Schérer conclut sur cette diversité d'interprétations du personnage :

> *La variété des interprétations du Tartuffe est certes déconcertante. Elles semblent laisser entier le mystère du Tartuffe. Ce personnage, une des créations les plus puissantes et les plus célèbres de la littérature dramatique, ne se laisse pas cerner par un trait qui permettrait de le définir avec précision. Son caractère• essentiel, la souplesse, entraîne la redoutable fécondité des images qu'on a pu prendre de lui.*
>
> *op. cit.*

La métamorphose du décor, dans la mise en scène de Roger Planchon (1973)

•

Planchon a donné deux interprétations du *Tartuffe* qui font date dans l'histoire de la réception de la pièce, l'une en 1962, au théâtre de Villeurbanne, la seconde en 1973 à Buenos Aires, dans le cadre de « l'année Molière ». En 1962 déjà, le décor – une enfilade de pièces d'apparat – constituait une innovation profonde. En 1973, il a encore évolué. Sur des murs de brique nue se devinent des débris de fresques baroques, témoins d'une époque révolue. Des agrandissements de peintures, des sculptures polychromes, ange volant, Christ aux outrages, statue équestre de Louis XIV, connotent l'univers social, politique et religieux de la pièce :

> *Comme l'écrit Roger Planchon : « Orgon, important personnage, loge dans un palais où subsistent des vestiges du passé... Mais tout y est transformation, l'essentiel du* Tartuffe *est dans la vie quotidienne de la maison d'Orgon ». Au lieu d'avoir le lieu unique de la scène traditionnelle, ou l'enfilade de pièces d'apparat comme en 1962, on a les lieux multiples de la vie familiale où les domestiques vaquent dès l'aube, où les maîtres en bras de chemise et en déshabillé passent de la chapelle à la buanderie et du salon à la cour intérieure, installations provisoires dans une demeure en pleine transformation comme cette grande bourgeoisie qui s'installe dans le régime.*
>
> Alfred Simon, *Le Tartuffe*, éd. de L'Avant-scène, Paris, 1977.

Décor dans la mise en scène de Roger Planchon (1962).

La portée de la pièce

•

Louis Veuillot, l'un des premiers, avait flairé le caractère• politique de la pièce. Critique catholique, il s'employait à le minimiser :

> *Tartuffe n'est pas un•hypocrite. C'est un escroc de la plus sotte et la plus vile espèce, qui se laisse jouer stupidement.*
>
> Louis Veuillot, *Molière et Bourdaloue*, 1877.

De nos jours, Pol Gaillard a nettement senti que la religion n'était ici qu'anecdote empruntée au temps, et que la portée de *Tartuffe* était politique, plus que religieuse ou morale.

De même, pour Gérard Ferreyrolles, qui souligne que:

> *Tartuffe dépasse largement les thèmes antérieurs du cocuage, de la préciosité, ou de l'éducation des filles pour toucher, avec l'hypocrisie•, aux deux formes contemporaines du sacré : la religion et l'État.*
>
> Gérard Ferreyrolles, *Molière, Tartuffe*, PUF, 1987.

Jacques Guicharnaud rappelle enfin avec raison que l'essence du théâtre de Molière est de symboliser « l'impatience de l'homme en face des problèmes de la vérité ». Il met à nu la formule même selon laquelle s'organise la comédie moliéresque en général et *Le Tartuffe* en particulier :

> *Aucun (théâtre) n'est aussi riche en tentatives de duperies qu'accompagnent les mouvements inverses de démystification. (...)* Tartuffe *occupe dans cet ensemble une place privilégiée (...). En choisissant l'hypocrite comme centre d'une comédie, Molière a réussi, avec* Tartuffe, *à exprimer l'essence même du théâtre par les moyens du théâtre. L'hypocrite et sa dupe forment un couple dont chaque membre est le symétrique de l'autre. Trompeur et trompé permettent d'exploiter toutes les combinaisons possibles des quatre moments du jeu de la vérité : le mensonge, la sincérité, l'illusion, la connaissance. Ces combinaisons prennent tout leur sens si on les organise sur un fond de références : le monde des personnages qui ne sont ni trompeurs ni dupes et représentent une norme.*
>
> Jacques Guicharnaud, *Molière, une aventure théâtrale*, Gallimard, 1963.

UNE CIVILISATION DE L'URBANITÉ

Les mariages tardifs, la mortalité infantile font stagner la population aux alentours de vingt millions d'habitants. Les famines sont encore nombreuses. Le siècle est périodiquement ravagé par des épidémies catastrophiques. La médecine commence pourtant à faire des progrès : Harvey découvre le mécanisme de la circulation du sang. Ce n'est pas assez pour priver de fondement les sarcasmes de Molière...

Les villes, et d'une manière générale les institutions (collèges, séminaires, État, justice, Églises...), se développent plus vite que les campagnes, qui demeurent misérables. Cette expansion entraîne l'apparition d'une civilisation urbaine et policée. À la ville, l'instruction progresse, les mœurs se font moins rudes : « roter » à table devient une incongruité (v. 194). « Visites, bals, conversations » (v. 151) témoignent d'une vie mondaine à laquelle la bourgeoisie vient seulement d'accéder. Souvent, à deux pas de Paris, on possède une « maison des champs ». Comme Orgon, le maître de maison s'en occupe personnellement, avec l'aide de son intendant, ce qui lui donne de fréquentes occasions de quitter la ville.

UNE HIÉRARCHIE BLOQUÉE

La toute-puissance des chefs de famille

•

Fondée sur la naissance et le privilège, la société ne laisse aucune chance d'ascension aux gens comme Tartuffe, instruits dans les séminaires, mais privés des bénéfices ecclésiastiques ou des places que l'État réserve à la noblesse et aux bourgeois assez fortunés pour s'offrir une charge. Le privilège de la naissance entraîne celui du patrimoine. Dès lors, comme on ne peut maintenir son rang ou s'élever que par les successions ou les alliances, le rôle des chefs de famille est immense. Ils ont pleine autorité sur leur femme et leurs enfants non mariés. Aussi pourvoient-ils souverainement au mariage et à l'établissement de leurs descendants. Pourtant un sentiment nouveau, la tendresse, commence à se faire jour à l'égard des enfants, dont on se sépare moins et moins tôt qu'autrefois. Orgon, alors même qu'il impose à sa fille d'épouser Tartuffe, n'est pas sans l'éprouver : « Allons, ferme, mon cœur, point de faiblesse humaine (v. 1293).

Les femmes et l'idéal de « l'honnêteté »

•

La condition des femmes commence à évoluer lentement. Elmire représente l'idéal mondain de l'« honnêteté• ». Les précieuses, et des femmes comme Mmes de Sévigné ou de La Fayette, comptant parmi les meilleurs écrivains du siècle, illustrent ce nouvel idéal féminin de politesse, de bon goût et de culture.

LA VIE POLITIQUE

Centralisation, « troubles » et « cabales »

•

Le siècle de Molière est marqué par la centralisation et la bureaucratisation de la monarchie. Cette *modernisation* de l'État froisse les grands féodaux (Condé) et entraîne un accroissement considérable de la *pression fiscale*. Elle est à l'origine de nombreuses révoltes urbaines ou rurales, qui culmineront dans les troubles de la Fronde, à partir de 1648. Dans la nuit du 5 au 6 janvier 1649, la régente s'enfuit du Louvre, craignant un attentat meurtrier. Dans ses bras, un enfant de dix ans, le futur Louis XIV. Toute sa vie, ce prince se souviendra d'avoir dû fuir le peuple de Paris en rébellion. Les troubles dureront jusqu'à ce que Mazarin, au prix d'une répression sanglante, soit parvenu en 1653 à dompter les Grands et à leur imposer la forme moderne de l'État. (C'est à cette occasion qu'Orgon a servi loyalement le trône (v. 181-182), ce dont se souvient le roi au moment du dénouement (V, 7). Louis XIV, « roi ingénieur », achève l'œuvre de rationalisation de Richelieu et Mazarin : il chasse les Grands du conseil, et gouverne avec des bourgeois, comme Colbert. *C'est cette œuvre de modernisation que soutient Molière.* Bien que la liberté politique soit nulle, autour du trône, ou en dehors de la Cour, les élites n'ont pas renoncé à toute activité politique. Nobles ou cléricaux, les traditionalistes intriguent dans des embryons de partis politiques, les « cabales », « factions » ou « cliques ». La « cabale des dévots » est un exemple à grande échelle de ces clans très secrets.

L'HYPOCRISIE• ET LE MASQUE, THÈMES BAROQUES

Qu'est-ce que le baroque ?

•

Le mot. Emprunté au portugais, le mot s'appliquait aux perles, et signifiait « irrégulier ». L'âge classique en fit un terme de mépris, désignant tout ce qui était « bizarre », fantasque ou de composition irrégulière. Soucieux de se trouver des esprits frères, le XIXe siècle a vu dans le baroque une attitude esthétique et morale opposée au classicisme. Aujourd'hui, les historiens de l'Art s'accordent pour considérer qu'une période dite « baroque » s'étend en Europe environ de 1560 à 1760, et en France de 1580 à 1660.

L'univers baroque. Le thème fondamental de l'esprit baroque est *l'inconstance du monde* : rien ne demeure, tout s'écoule en un flux perpétuel, tout n'est donc qu'apparence et *illusion*. Réduit à ce continuel « passage », le monde semble n'avoir pas plus de consistance qu'un *théâtre*. Êtres et choses ne s'y montrent que dans leurs *métamorphoses*. Instable, l'être est dépourvu de substance, et se réduit à l'évanescence du *paraître* : reflets, nuages, arcs-en-ciel, eaux courantes, jeux de miroirs sont des motifs récurrents de la poésie baroque. Les thèmes du « masque », ou du « fard », qui se rattachent au motif d'un *monde-théâtre*, sont donc éminemment baroques.

Ce thème fondamental se décline sur deux modes. Sur le **mode tragique,** il exprime une angoisse métaphysique : privée de consistance, la vie de l'homme sans Dieu est absurde, sans cesse il est happé par la mort. Sur un **mode triomphal et ostentatoire,** le baroque célèbre au contraire l'exubérance généreuse du monde, la profusion infinie de ses formes, aux sortilèges foisonnants.

Cette sensibilité particulière est née de la Contre-Réforme et du concile de Trente.

Tartuffe, pièce baroque ?

•

La structure de la pièce, qui est classique, veut un héros unique et stable. Aussi Molière évite-t-il d'exhiber les mutations d'un personnage changeant. Son hypocrite ne joue qu'un seul rôle, l'auteur ne le montre jamais que sous le masque. La « vraie nature » de Tartuffe se devine seulement à une tension qui ne

cesse de croître entre masque et visage, jusqu'à la crise. Alors, il est vrai, l'action démasque Tartuffe. Mais le masque glisse plus qu'il ne tombe : l'imposteur• le maintient encore par l'onction de son discours (V, 7).

Toutefois, il reste un personnage dont le principe est baroque. Qu'est-il d'autre en effet qu'un *masque?* Et quelle est la dynamique interne du personnage? Celle d'un masque qui, ne cessant de glisser, laisse de plus en plus paraître le visage. Tartuffe, à nos yeux, *tend à se métamorphoser.* Sous la mine humble du dévot, *perce* de plus en plus une créature monstrueuse, proprement terrifiante. Dans ce personnage parfaitement antithétique, *sommeillent* bel et bien les vertus inquiétantes du dieu *Protée*•, divinité baroque par excellence. Il suffit de parcourir les poètes pour s'en convaincre. Du reste, la première version de la pièce; celle de 1664, fut donnée dans le cadre d'une fête purement baroque, tant par le titre que par le style et les thèmes : les *Plaisirs de l'Île enchantée.*

La poésie baroque. Dans le cinquième chant de son poème épique des *Tragiques*, Agrippa d'Aubigné évoque le maître de tous les Tartuffes : Satan. « Déguisé en ange de lumière », il essaie de se faire passer pour l'un des « purs esprits » du Paradis. Soudain, tel le Prince dans la comédie de Molière, Dieu le démasque... Contrairement au dramaturge classique, le poète baroque se plaît ici à peindre les métamorphoses reptiliennes de ce Protée biblique. Comme dans *Tartuffe*, le Mal se travestit, prenant le masque du Bien. Ce passage des *Tragiques* est un chef-d'œuvre baroque, sur le thème du déguisement, de l'hypocrisie et des métamorphoses trompeuses de l'apparence :

... Parmi les purs esprits survint l'esprit immonde.
Quand Satan, haletant d'avoir tourné[1] *le monde,*
Se glissa dans la presse, aussitôt l'œil divin
De tant d'esprits bénins[2] *tria l'esprit malin :*
Il n'éblouit de Dieu la clarté singulière,
Quoiqu'il fût déguisé en ange de lumière,
Car la face était belle et ses yeux clairs et beaux,
Leur fureur adoucie. Il déguisait ses peaux[3]
D'un voile pur et blanc (...)
Et les ailes croissaient sur l'échine en repos.
Ainsi que ses habits, il farda ses propos
Et composait encor sa contenance douce
Quand Dieu l'empoigne au bras, le tire, se courrouce,
Le sépare de tous, et l'interroge ainsi :
« D'où viens-tu, faux[4] *Satan ? Que viens-tu faire ici ? »*
Lors, le trompeur trompé d'assuré devint blême,
L'enchanteur se trouva désenchanté lui-même.
Son front se sillonna, ses cheveux hérissés,
Ses yeux flambant dessous les sourcils refroncés ;
Le crêpe blanchissant qui les cheveux lui coeuvre[5]
Se change en même peau que porte la couleuvre
Qu'on appelle coiffée, ou bien en telle peau[6]
Que le serpent mué dépouille au temps nouveau (...)

Agrippa d'Aubigné, *Les Tragiques*, chant V, « Les Fers »,
v. 37-60, 1616 (orthographe modernisée).

Ce passage de l'illusion à la rupture de l'illusion serait la formule même de l'esthétique baroque et rappelle singulièrement le dénouement du *Tartuffe*.

Mais plus encore qu'à la poésie, c'est au **théâtre baroque** que cette dialectique du masque et du visage a fourni un motif de prédilection.

Le théâtre n'est qu'un *miroir* du réel : sur scène, tout n'est qu'apparence•. Par là, cet art de *représentation* confine au baroque... Surtout si l'auteur, jouant sur le miroir, aux limites de « l'illusion comique », se plaît aux jeux du « théâtre dans le théâtre ». Si la scène, où « la vie est un songe », installe en nous l'illusion, c'est toutefois *sans dissiper entièrement la conscience que nous avons de vivre un mirage.* L'antithèse du masque et du visage, de l'apparence et de la réalité, n'en est que plus sensible, surtout si le dramaturge, comme le Corneille de *L'Illusion comique* ou du *Menteur*, fait jouer à ses personnages précisément des rôles d'*acteurs*.

1. Retourné, bouleversé.
2. Bons.
3. Satan, au naturel, était communément imaginé comme une sorte de dragon.
4. Fourbe, hypocrite.
5. Couvre.
6. En une peau semblable à celle.

Dans *L'Illusion comique*, Pridamant est à la recherche de son fils, Clindor. Pour le retrouver, il consulte le magicien Alcandre, qui fait apparaître à ses yeux le disparu. Ce qu'ignore le père, c'est que son fils fait à présent partie d'une troupe de théâtre... Pour l'heure, Clindor y tient le rôle d'un valet de comédie, amoureux de son « Isabelle », et l'intrigue fait de lui le rival de son maître, un certain « Matamore, capitan gascon ». Il s'agit d'un fanfaron qui tour à tour se pose en guerrier terrifiant, s'emporte comme s'il était le dieu de la guerre en personne, puis, l'instant d'après, contrefait un doucereux galant. Ce rôle de « Matamore » est donc celui d'un *acteur*, d'un Tartuffe en somme : *théâtre dans le théâtre* :

> MATAMORE. *Mon armée ? Ah ! poltron ! ah ! traitre ! pour leur mort*
> *Tu crois donc que ce bras ne soit pas assez fort ?*
> *Le seul bruit de mon nom renverse les murailles,*
> *Défait les escadrons et gagne les batailles. (...)*
> *La foudre est mon canon, les destins mes soldats ;*
> *Je couche d'un revers mille ennemis à bas.*
> *D'un souffle je réduis leurs projets en fumée ;*
> *Et tu m'oses parler cependant d'une armée !*
> *Tu n'auras plus l'honneur de voir un second Mars ;*
> *Je vais t'assassiner d'un seul de mes regards,*
> *Veillaque. Toutefois, je songe à ma maîtresse ;*
> *Ce penser m'adoucit ; va, ma colère cesse,*
> *Et ce petit archer qui dompte tous les dieux*
> *Vient de chasser la mort qui logeait dans mes yeux.*
> *Regarde, j'ai quitté cette effroyable mine*
> *Qui massacre, détruit, brise, brûle, extermine ;*
> *Et, pensant au bel œil qui tient ma liberté,*
> *Je ne suis plus qu'amour, que grâce, que beauté.*
>
> CLINDOR. *Ô Dieux ! en un moment que tout vous est possible !*
> *Je vous vois aussi beau que vous étiez terrible (...)*
>
> Corneille, *L'Illusion comique*, II, sc. 2, v. 231-257, 1636.

La dramaturgie• de *Tartuffe* est elle-même baroque. La situation centrale met en présence deux figures *masquées*, la coquette et l'hypocrite. Elmire joue à Tartuffe la comédie de l'amour précieux•, ce masque pudique, qui refuse de nommer les « réalités » autrement qu'en les voilant de périphrases. Nous sourions de la voir dérober une chair convoitée sous le discours platonique des précieuses : *comédie dans la comédie*. Le public omniscient se réjouit de voir le dupeur dupé : jouant sur le ton précieux, Elmire empêche Tartuffe de se démasquer, et l'oblige à cacher encore des appétits dont il n'est pourtant plus maître. Chez l'un et l'autre, les mots ne révèlent les choses qu'en les travestissant en leur contraire, la sensualité ne peut s'exprimer que dans le registre opposé, celui du mysticisme.

La condamnation de l'hypocrisie dans l'œuvre de Molière

•

Il est un autre aspect par lequel Tartuffe se laisse assimiler à un personnage baroque. Ce « héros » exprime en effet l'ambition démesurée d'un *moi* qui voudrait se dilater à l'infini, en quête de puissance, de consistance et de stabilité : c'est un « généreux• » raté, un « matamore » de l'ascension sociale, un Dom Juan gueux.

Molière, on le sait, a dû donner son *Dom Juan*, pièce d'une instabilité éminemment baroque, pour pallier le manque de recettes qu'entraînait l'interdiction de *Tartuffe*. Ne lâchant point prise, il a fait de son grand seigneur méchant homme comme l'envers de son hypocrite. Tartuffe est pris au moment où il pose le masque, Dom Juan au moment où il s'en revêt. Le « héros » Orgon paraît d'abord dans son rôle d'emprunt, puis livre combat pour s'en défaire ; Dom Juan commence en bravant le monde à visage découvert, et finit par le « métier d'hypocrite », pour déjouer les poursuites de ses victimes. Grand seigneur, Dom Juan garde fière allure ; parce qu'il est un gueux cherchant à parvenir, Tartuffe paraît haïssable... Mais à chacun Molière a inoculé le même désir de jouissance, le même appétit de conquête. Chez l'un et l'autre, c'est la même force de défi, le même cynisme, le même mépris pour la nature et la morale établie, et un goût semblable pour les femmes, les métamorphoses, la comédie, et l'imposture. Ce sont là deux figures d'un même motif baroque, celui du masque (cf. *Dom Juan*, V, 2).

Dans *Le Misanthrope*, dont le sujet est encore l'hypocrisie, celle des mondains cette fois, Tartuffe réapparaît sous la figure de ce « franc scélérat » avec lequel Alceste a un méchant procès (cf. I, 1, v. 123-140).

Dans cette même pièce, Tartuffe ressurgit en femme dans le rôle de la prude Arsinoé (cf. III, 4, v. 925-960).

Mais l'attitude de Molière a évolué : Tartuffe était on ne peut plus nettement condamné. Dom Juan conserve toujours une allure fière et héroïque, Alceste, pour sa part, a bien des traits sympathiques dans sa croisade contre les faux-semblants. Molière semble n'accabler plus personne, comme si, doutant de la bonté de la nature, il s'était convaincu que le mal de l'insincérité fût un trait essentiel de l'homme déchu. Le scepticisme un peu janséniste de ces deux autres grandes comédies de l'hypocrisie• leur donne même comme une coloration grave, et presque tragique.

Autres rapprochements : Molière et la religion, hypocrisie religieuse : *L'École des femmes*, IV, v. 277-1290 ; II, 5, v. 505-508 (le début de son combat contre l'hypocrisie des bigots) ; *Dom Juan* I, 3 ; V, 1, 3 et 4 ; *Critique de l'École des femmes, passim* ; *L'Impromptu de Versailles*, I ; *Amphitryon*, prologue, v. 120-147 (la Nuit) ; I, 4 (Cléantis).

L'hypocrisie, condamnée par les moralistes

•

En l'âme damnée de Tartuffe, qui ne cherche qu'à jeter le masque, on peut entendre, comme un écho du thème baroque et **pascalien** de la *misère de l'homme sans Dieu* : l'homme se prend au piège des apparences• et se rend ainsi le jouet des « puissances trompeuses » des « cordes d'imagination », et du « divertissement ». S'il est un aspect tragique de Tartuffe, il est dans l'impossibilité de ce personnage de théâtre à arracher définitivement le masque, à se libérer d'une apparence pour accéder enfin à sa propre réalité. Tartuffe quitte la scène prisonnier, comme il le demeure de ce jeu de théâtre dans le théâtre qu'il a lui-même initié !

Mais les véritables ravages de l'hypocrisie sont politiques, car elle détruit la bonne foi *(fides)* sur laquelle repose toute société humaine. Tartuffe est avant tout un *perfide* (v. 415, 1043, 1101, 1591, 1649). Déjà Montaigne avait percé à jour ce vice d'État, et condamné ce qu'après Molière on pourra nommer « tartufferie » :

> *Notre intelligence se conduisant par la seule voie de la parole, celui qui la fausse trahit la société publique. C'est le seul outil par lequel se communiquent nos volontés et nos pensées, c'est le truchement de notre âme : s'il nous faut*[1]*, nous ne nous tenons plus, nous ne nous entre-connaissons plus. S'il nous trompe, il rompt tout notre commerce et dissout toutes les liaisons de notre police*[2].
>
> Montaigne, Essais, II, XVIII, « Du Démentir », 1580.

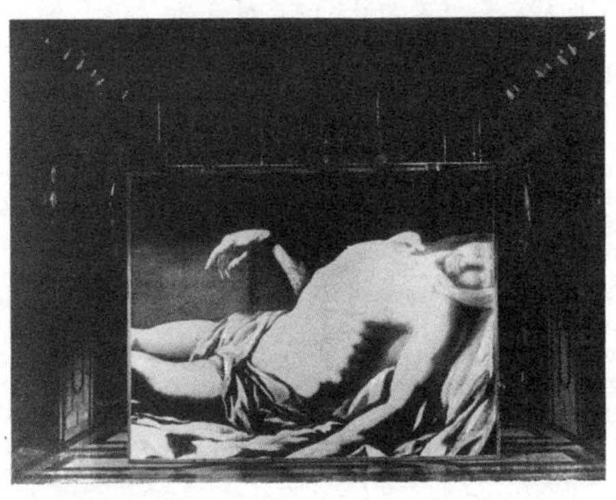

1. Nous fait défaut (verbe faillir).
2. Organisation juridique, écrite ou coutumière, de la société civile et du gouvernement, seul rempart contre la violence et la barbarie.

On retrouve le personnage du faux dévot dans Les *Fables* de La Fontaine, cette « ample comédie aux cent actes divers ». Tartuffe a pris ici le museau pointu du « rat qui s'est retiré du monde » (cf. v. 855-856 et 1266-1268) :

Les Levantins en leur légende
Disent qu'un certain rat, las des soins d'ici-bas,
Dans un fromage de Hollande
Se retira loin du tracas. (...)
Il fit tant, de pieds et de dents,
Qu'en peu de jours il eut au fond de l'ermitage
Le vivre et le couvert ; que faut-il davantage ?
Il devint gros et gras ; Dieu prodigue ses biens
À ceux qui font vœu d'être siens.
Un jour au dévot personnage
Des députés du peuple rat
S'en vinrent demander quelque aumône légère :
Ils allaient en terre étrangère
Chercher quelques secours contre le peuple chat ;
Ratopolis était bloquée :
On les avait contraints de partir sans argent,
Attendu l'état indigent
De la république attaquée.
Ils demandaient fort peu, certains que le secours
Serait prêt dans quatre ou cinq jours.
« Mes amis, dit le solitaire,
Les choses d'ici-bas ne me regardent plus :
En quoi peut un pauvre reclus
Vous assister ? que peut-il faire,
Que de prier le Ciel qu'il vous aide en ceci ?
J'espère qu'il aura de vous quelque souci. »
Ayant parlé de cette sorte,
Le nouveau saint ferma sa porte.
Qui désignai-je, à votre avis,
Par ce rat si peu secourable ?
Un moine ? Non, mais un dervis :
Je suppose qu'un moine est toujours charitable.

La Fontaine, *Fables*, livre VII, 3,
« Le Rat qui s'est retiré du monde », 1678.

On peut aussi songer à Raminagrobis, alias « Grippeminaud le bon apôtre », lui aussi « gros et gras », et qui est Tartuffe fait chat :

« (...) – Or bien, sans crier davantage,
Rapportons-nous, dit-elle, à Raminagrobis. »
C'était un chat vivant comme un dévot ermite,
Un chat faisant la chattemite,
Un saint homme de chat, bien fourré, gros et gras. (...)

La Fontaine, *Fables*, livre VII, 16,
« Le Chat, la belette et le petit lapin », 1678.

« Un dévot, dit La Bruyère, est celui qui, sous un roi athée, serait athée » (*Les Caractères*, XIII, 21). Il brosse le portrait d'***Onuphre***. Les allusions au personnage de Molière sont insistantes, et l'on pourrait croire que La Bruyère en critique la vraisemblance. En réalité, il ne fait que transposer ce caractère de la comédie dans un genre descriptif. Or, au théâtre, le public doit percevoir que l'hypocrite porte un masque. Il doit donc avoir à la fois l'air de ce qu'il est, un hypocrite (comédie), et l'air de ce qu'il n'est pas, un dévot (comédie dans la comédie). Aussi Molière doit-il le faire « jouer double ». Pour cela, il place Tartuffe devant deux sortes de personnages-témoins, des clairvoyants, comme Dorine ou Cléante, et des aveugles, comme Orgon et sa mère. Devant les aveugles, Tartuffe mime avec emphase la danse du dévot. Aux yeux des clairvoyants, cette emphase dénonce à l'évidence qu'il ne fait que jouer : il en fait trop ! Or, ces excès, qui le révèlent comme hypocrite au regard de Dorine et du public, le dénonceraient aussi bien dans la réalité au premier venu. Aussi, nous dit La Bruyère, les « vrais » Tartuffes n'en font jamais trop, et c'est ce qui les rend si redoutables... De la *comédie* au *portrait*, la différence des genres fait qu'Onuphre se distingue de Tartuffe, son modèle pourtant.

> Onuphre (..) *ne dit point « ma haire et ma discipline », au contraire : il passerait pour ce qu'il est, pour un hypocrite, et il veut passer pour ce qu'il n'est pas, pour un homme dévot : il est vrai qu'il fait en sorte que l'on croie, sans qu'il le dise, qu'il porte une haire, et qu'il se donne la discipline. (...) S'il marche par la ville et qu'il découvre de loin un homme devant qui il est nécessaire qu'il soit dévot, les yeux baissés, la démarche lente et modeste, l'air recueilli, lui sont familiers : il joue son rôle. S'il entre dans une église, il observe d'abord de qui il peut être vu, et, selon la découverte qu'il vient de faire, il se met à genoux et prie, ou il ne songe ni à se mettre à genoux ni à prier. Arrive-t-il vers lui un homme de bien et d'autorité qui le verra et qui peut l'entendre, non seulement il prie, mais il médite, il pousse des élans et des soupirs : si l'homme de bien se retire, celui-ci, qui le voit partir, s'apaise et ne souffle pas. (...) Il évite une église déserte et solitaire, où il pourrait entendre deux messes de suite, le sermon, vêpres et complies, tout cela entre Dieu et lui, et sans que personne ne lui en sût gré : il aime la paroisse, il fréquente les temples où il se fait un grand concours ; on n'y manque point son coup, on y est vu. (...) S'il se trouve bien d'un homme opulent à qui il a su imposer, dont il est le parasite, et dont il peut tirer de grands secours, il ne cajole point sa femme, il ne lui fait du moins ni avance ni déclaration ; il s'enfuira, il lui laissera son manteau, s'il n'est aussi sûr d'elle que de lui-même. Il est encore plus éloigné d'employer pour la flatter et la séduire le jargon de la dévotion• ; ce n'est point par habitude qu'il le parle, mais avec dessein, et selon qu'il lui est utile, et jamais quand il ne servirait qu'à le rendre ridicule. Il sait où se trouvent des femmes plus sociables et plus dociles que celle de son ami. (...) Il n'oublie pas de se tirer avantage de l'aveuglement de son ami*

et de la prévention où il l'a jeté en sa faveur : tantôt il lui emprunte de l'argent, tantôt il fait si bien que cet ami lui en offre ; il se fait reprocher de n'avoir pas recours à ses amis dans ses besoins. (...) Il ne pense point à profiter de toute sa succession, ni à s'attirer une donation générale de tous ses biens, s'il s'agit surtout de les enlever à un fils, le légitime héritier. Un homme dévot n'est ni avare, ni violent, ni injuste, ni même intéressé ; Onuphre n'est pas dévot, mais il veut être cru tel, et par une parfaite, quoique fausse imitation de la piété, ménager sourdement ses intérêts : aussi ne joue-t-il pas à la ligne directe[1]*, et il ne s'insinue jamais dans une famille où se trouvent tout à la fois une fille à pourvoir et un fils à établir ; il y a là des droits trop forts et trop inviolables : on ne les traverse point sans faire de l'éclat, et il l'appréhende ; sans qu'une pareille entreprise vienne aux oreilles du Prince, à qui il dérobe sa marche, par la crainte qu'il a d'être découvert, et de paraître ce qu'il est. Il en veut à la ligne collatérale, on l'attaque plus impunément (...)*

La Bruyère, *Les Caractères*, XIII, « De la Mode », 24, 1688.

1. Ligne de succession directe, comme de père à fils.

Hypocrisie et théâtralité : le regard « à la Dorine » chez Marivaux

•

Cette technique du jeu dans le jeu n'est pas sans rappeler, dans un tout autre registre, un procédé essentiel à la dramaturgie de Marivaux. Ses personnages se défendent d'être épris, soit par amour-propre, – ils ne veulent pas aimer sans retour, – soit par souci des convenances – ils ne veulent pas aimer au-dessous d'eux. Ils se montrent alors de mauvaise foi (cf. le « garçon de café » de Sartre), mais le sont d'abord vis-à-vis d'eux-mêmes. Portant masque sans le savoir, ils ne peuvent seulement songer à l'ôter. En ce cas, monologue ou aparté ne peuvent rien résoudre. Comme il ne saurait y avoir au théâtre d'intrusions du narrateur, les personnages ne sont que ce qu'ils paraissent. Si cette apparence• est trompeuse, comment rendre visible aux spectateurs la mauvaise foi, surtout si celle-ci est inconsciente ? Le problème dramaturgique• fondamental du *Tartuffe* se repose donc à Marivaux. L'enjeu de ses intrigues• est du reste semblable : il s'agit là encore de faire glisser le masque, afin d'obtenir un aveu. Et Marivaux recourt à la même technique que Molière, celle des personnages-témoins, délégués omniscients du dramaturge dans la pièce.
Sous ce rapport, on peut comparer Dorine au Dubois des *Fausses Confidences* : par des « fausses confidences », le valet Dubois a permis à l'intendant Dorante d'avouer indirectement à sa maîtresse, Araminte, l'amour qu'il lui porte. Celle-ci, une riche veuve, s'est éprise du jeune intendant, mais se refuse à l'avouer... Aussi,

s'est-elle crue obligée de chasser l'insolent ! À présent, les deux amants se morfondent chacun dans son coin, quand survient Dubois. Le rusé fait l'innocent, ce qui a le don d'exaspérer Araminte. Notre point de vue de spectateurs se confond alors avec celui du valet quasi omniscient. Le miroir que nous tend Dubois fait éclater à nos yeux la mauvaise foi d'Araminte, tout comme le regard que pose Dorine sur Tartuffe nous en révélait « l'affectation et la forfanterie » (v. 857).

> DUBOIS. *Enfin, Madame, à ce que je vois, vous en voilà délivrée. Qu'il devienne tout ce qu'il voudra à présent, tout le monde a été témoin de sa folie, et vous n'avez plus rien à craindre de sa douleur ; il ne dit mot. Au reste, je viens seulement de le rencontrer plus mort que vif, qui traversait la galerie pour aller chez lui. Vous auriez trop ri de le voir soupirer. (...)*
> ARAMINTE, qui ne l'a pas regardé jusque là, et qui a toujours rêvé, dit d'un ton haut. *Mais qu'on aille donc voir : quelqu'un l'a-t-il suivi ? que ne le secouriez-vous ? faut-il le tuer, cet homme ?*
> DUBOIS. *J'y ai pourvu, Madame ; j'ai appelé Arlequin, qui ne le quittera pas, et je crois d'ailleurs qu'il n'arrivera rien ; voilà qui est fini. Je ne suis venu que pour dire une chose ; c'est que je pense qu'il demandera à vous parler, et je ne conseille pas à Madame de le voir davantage ; ce n'est pas la peine.*
> ARAMINTE, sèchement. *Ne vous embarrassez pas, ce sont mes affaires.*
> DUBOIS. *En un mot, vous en êtes quitte, et cela par le moyen de cette lettre qu'on vous a lue et que mademoiselle Marton a tirée d'Arlequin par mon avis ; je me suis douté qu'elle pourrait vous être utile, et c'est une excellente idée que j'ai eue là, n'est-ce pas, Madame ?*
> ARAMINTE, froidement. *Quoi ! c'est à vous que j'ai l'obligation de la scène qui vient de se passer ?*
> DUBOIS, librement. *Oui, Madame.*
> ARAMINTE. *Méchant valet ! ne vous présentez plus devant moi.*
> DUBOIS, comme étonné. *Hélas ! Madame, j'ai cru bien faire.*
> ARAMINTE. *Allez, malheureux ! il fallait m'obéir ; je vous avais dit de ne plus vous en mêler ; vous m'avez jetée dans tous les désagréments que je voulais éviter. C'est vous qui avez répandu tous les soupçons qu'on a eus sur son compte, et ce n'est pas par attachement pour moi que vous m'avez appris qu'il m'aimait ; ce n'est que par le plaisir de faire du mal. Il m'importait peu d'en être instruite, c'est un amour que je n'aurais jamais su, et je le trouve bien malheureux d'avoir eu affaire à vous. Vous l'assassinez, vous me trahissez moi-même. Il faut que vous soyez capable de tout, que je ne vous voie jamais, et point de réplique.*
> DUBOIS, s'en va en riant. *Allons, voilà qui est parfait.*
>
> Marivaux, *Les Fausses Confidences*, III, 9, 1737.

Les personnages de Marivaux pratiquent l'hypocrisie du cœur. Pour la dévoiler, il dote ses valets d'un regard à la Dorine, qui « perce au travers masque » *(Le monde vrai)*. Il lui arrive même de *décrire* le procédé (*La Fausse Suivante*, III, 3, rôle de Trivelin).

QUELQUES TRANSPOSITIONS ROMANESQUES

– Dans l'un des multiples récits à tiroirs de *Jacques le Fataliste*, Diderot, en contant les intrigues du père Hudson, a délibérément tenté la première transposition romanesque du *Tartuffe*. L'auteur de *La Religieuse* nous livre par là-même la vision que les Lumières pouvaient avoir du cagot de Molière :

> *Il y avait alors à la tête des maisons de l'ordre un supérieur d'un caractère extraordinaire : il s'appelait le père Hudson. Le père Hudson avait la figure la plus intéressante, un grand front, un visage ovale, un nez aquilin, de grands yeux bleus, de belles joues larges, une belle bouche, de belles dents, le sourire le plus fin ; de l'esprit, des connaissances, de la gaieté, le maintien et le propos le plus honnête, l'amour de l'ordre, celui du travail ; mais les passions les plus fougueuses, mais le goût le plus effréné des plaisirs et des femmes, mais le génie de l'intrigue porté au dernier point, mais les mœurs les plus dissolues. (...) L'abbé de l'ordre avait une maison attenante au monastère. Cette maison avait deux portes, l'une qui s'ouvrait dans la rue, l'autre dans le cloître ; Hudson en avait forcé les serrures ; l'abbatiale était devenue le réduit de ses scènes nocturnes, et le lit de l'abbé celui de ses plaisirs. (...) Hudson avait un confessionnal, et il avait corrompu toutes celles d'entre ses pénitentes qui en valaient la peine. Parmi ces pénitentes, il y avait une petite confiseuse qui faisait bruit dans le quartier par sa coquetterie et ses charmes ; Hudson, qui ne pouvait fréquenter chez elle, l'enferma dans son sérail. Cette espèce de rapt ne se fit pas sans donner des soupçons aux parents et à l'époux. Ils lui rendirent visite, Hudson les reçut avec un air consterné. Comme ces bonnes gens étaient en train de lui exposer leur chagrin, la cloche sonne ; c'était à six heures du soir ; Hudson leur impose silence, ôte son chapeau, se lève, fait un grand signe de croix, et dit d'un ton affectueux et pénétré :* Angelus Domini nuntiavit Mariae... *Et voilà le père de la confiseuse et ses frères honteux de leur soupçon, qui disaient, en descendant l'escalier, à l'époux : « Mon fils, vous êtes un sot... Mon frère, n'avez-vous point de honte ? Un homme qui dit l'*Angelus*, un saint ! » (...)*
>
> Diderot, *Jacques le Fataliste* (composé en 1773-1775, publié à titre posthume en 1796).

– Balzac, dans ***Les Petits Bourgeois,*** s'est également essayé à une transposition du personnage de Molière : entre grands réalistes, on se comprend ! Mais l'avatar romanesque le plus remarquable demeure le Tartuffe de Stendhal, Julien Sorel. Et comment oublier l'hypocrisie de ***La Cousine Bette ?***

L'ascension sociale et la société bloquée : de Tartuffe à Julien Sorel.

•

Comme l'avait vu Albert Thibaudet, l'hypocrite de Stendhal est, à bien des égards, une transposition romanesque du *Tartuffe*. Le personnage de Molière, à en croire Dorine, est « gueux », Julien Sorel est plébéien. L'un et l'autre, hommes à talents instruits dans le sein de l'Église, se révoltent contre la bassesse de leur condition. Sorel, comme Tartuffe, vit dans une société bloquée, où les privilèges font obstacle à l'ascension des mérites. Aussi l'un et l'autre doivent-ils porter le masque pour voiler leurs appétits. Julien se dissimule du reste un temps sous le manteau de Tartuffe, l'habit noir des hommes d'Église ! Comme Tartuffe, il choisit ses dupes dans la bourgeoisie ou la meilleure société de Paris, et entreprend de réussir par les femmes. Il reçoit du marquis de la Môle la main de Mathilde, comme Tartuffe recevait d'Orgon celle de Mariane.

Le curé Chélan s'étonne que son protégé refuse d'épouser Élisa, la femme de chambre. « Il me devine, se dit Julien, c'est lui surtout qu'il m'importe de tromper », et de jouer la comédie de la vocation religieuse. Il ne parvient pas tout d'abord à « l'hypocrisie de gestes », ne réussissant que celle des mots :

> *...il trouvait les mots qu'eût employés un jeune séminariste fervent ; mais le ton dont il les prononçait, mais le feu mal caché qui éclataient dans ses yeux alarmaient M. Chélan.*
> *Il ne faut pas trop mal augurer de Julien ; il inventait correctement les paroles d'une hypocrisie cauteleuse et prudente. Ce n'est pas mal à son âge. Quant aux tons et aux gestes, il vivait avec des campagnards ; il avait été privé de la vue des grands modèles.*
> *Le Rouge et le Noir* de Stendhal, 1830, I, 8, Petits événements.

Contrairement à Tartuffe, Julien passe d'un costume à l'autre, du « noir » au « rouge », tel est son destin. À la « cérémonie de la relique de Bray-le-Haut », il est à la fois cavalier dans la garde nationale et sous-diacre du curé Chélan : « Il quitta en soupirant son bel habit bleu de ciel, son sabre, ses épaulettes, pour reprendre l'habit noir ». Il passe ensuite son surplis, mais : « par un oubli qui redoubla la colère de M. Chélan, sous les longs plis de sa soutane on pouvait apercevoir les éperons du garde d'honneur ». (*Ibid*, I, 18, Un Roi). Le séminaire sera pour Julien l'école de l'hypocrisie•, comme il l'avait été pour Tartuffe : « ...il se croyait un hypocrite consommé. Sa folie allait jusqu'à se reprocher ses succès dans cet art de la faiblesse. Hélas ! c'est ma seule arme ! à une autre époque, se disait-il, c'est par des actions parlantes en face de l'ennemi que j'aurais *gagné mon pain* ». Il observe qu' : « au séminaire, il est une façon de manger un œuf à la coque qui annonce les progrès faits dans la vie dévote ». (*Ibid*, I, 26, Le Monde). Le séminariste ne cesse de pro-

Tartuffe ou Julien Sorel? Sylvie Ollivier (Elmire) et Gabriel Le Doze (Tartuffe), mise en scène de Jean-Luc Jeener, crypte Sainte-Agnès (1991).

gresser : « Julien réussissait peu à peu dans ses essais d'hypocrisie de gestes ». (*Ibid*, I, 27, Première expérience de la vie).
Secrétaire du marquis de La Môle, Julien se reproche de laisser passer les éperons sous la soutane quand il s'enflamme ouvertement pour Napoléon :

> *Mme de La Môle appela sa fille. L'hypocrisie, pour être utile, doit se cacher ; et Julien, comme on voit, avait fait à Mlle de La Môle une demi-confidence sur son admiration pour Napoléon. Voilà l'immense avantage qu'ils ont sur nous, se dit Julien, resté seul au jardin. L'histoire de leurs aïeux les élève au-dessus des sentiments vulgaires, et ils n'ont pas toujours à songer à leur subsistance ! Quelle misère ! ajoutait-il avec amertume, je suis indigne de raisonner sur ces grands intérêts. Ma vie n'est qu'une suite d'hypocrisies, parce que je n'ai pas mille francs de rente pour acheter du pain.*
>
> *Ibid*, II, 10, La Reine Marguerite.

Il est parvenu à séduire Mathilde de La Môle, sa « Mariane », qui vient de lui écrire une déclaration d'amour. Julien soupçonne que ce pourrait être là une ruse des aristocrates destinée à le perdre :

> *Moi, pauvre paysan du Jura, se répétait-il sans cesse, moi, condamné à porter toujours ce triste habit noir ! Hélas ! vingt ans plus tôt, j'aurais porté l'uniforme comme deux ! Alors un homme comme moi était tué* ou général à trente-six ans. *Cette lettre, qu'il tenait serrée dans sa main, lui donnait la taille et l'attitude d'un héros. Maintenant, il est vrai, avec cet habit noir, à quarante ans, on a cent mille francs d'appointements et le cordon bleu, comme Monsieur l'évêque de Beauvais.*
>
> *Eh bien ! se dit-il en riant comme Méphistophélès, j'ai plus d'esprit qu'eux ; je sais choisir l'uniforme de mon siècle. Et il sentit redoubler son ambition et son attachement à l'habit ecclésiastique. Que de cardinaux nés plus bas que moi qui ont gouverné ! (...) Peu à peu l'agitation de Julien se calma ; la prudence surnagea. Il se dit, comme son maître Tartuffe, dont il savait le rôle par cœur :*
>
> *Je ne puis croire ces mots, un artifice honnête. (...)*
> *Je ne me fierai point à des propos si doux,*
> *Qu'un peu de ses faveurs, après quoi je soupire,*
> *Ne viennent m'assurer tout ce qu'ils m'ont pu dire.*
>
> *Tartuffe*, acte IV, scène 5.
>
> *Tartuffe aussi fut perdu par une femme, et il en valait bien un autre... Ma réponse peut être montrée... à quoi nous trouvons ce remède, ajouta-t-il en prononçant lentement, et avec l'accent de férocité qui se contient (...)*
>
> *Ibid*, II, 13, Un Complot.

Mais des différences fondamentales séparent l'hypocrite de Stendhal de celui de Molière. Julien est un ingénu, une âme sensible pénétrée de Rousseau, quand Tartuffe est un criminel inaccessible au remords. Héros stendhalien, Julien a une âme ; Tartuffe, personnage de théâtre, et du théâtre classique, ne saurait avoir de for intérieur. Le genre et l'unité veulent qu'il demeure ce qu'il paraît. Molière se refuse à nous montrer l'envers de Tartuffe ; Stendhal nous fait sans cesse passer de la scène du monde, où Julien s'efforce de paraître ce qu'il n'est pas, à la méditation intérieure, où nous le voyons tel qu'il est. En outre, le masque d'un hypocrite n'est lisible que s'il est à l'opposé de la nature qu'il cache. Personnage du grand siècle, jouant les *dévots*, Tartuffe au naturel ne peut qu'être un libertin• cynique. Julien joue les *cyniques*, et au XIXe siècle, le contraire d'un cynique, c'est une âme sensible. Au naturel, le séminariste de Besançon est un héros romantique.

LES TARTUFFES DU XXe SIÈCLE

Bernanos et Mauriac

•

Dans *l'Imposture,* Bernanos reprend le thème en lui donnant une coloration tragique : il voyait dans Tartuffe le drame du croyant qui a perdu la foi mais continue d'en produire les gestes pour que sa vie ait au moins l'apparence d'un sens. Mauriac reprend aussi le thème du faux dévot et de l'hypocrisie religieuse, notamment dans *Asmodée,* une pièce de théâtre écrite en 1936. Blaise Coûture, séduisant séminariste devenu précepteur, trouble « Mademoiselle », l'institutrice, et son élève Emmanuelle âgée de dix-sept ans,- malgré la vocation religieuse qui s'éveille en elle. Coûture se révèle un être monstrueux, doué, comme l'Asmodée de Le Sage, de la faculté de deviner, sous le voile des convenances, les sentiments les plus noirs et les mieux cachés de ceux qu'il approche. Il parasite une famille, épie et dévoile chacun, s'avance lui-même masqué. Tartuffe mauriacien, Coûture préfigure Thérèse Desqueyroux. Âme damnée, il est marqué d'une sorte de grâce inversée.

Sartre et l'hypocrisie au quotidien

•

L'hypocrisie des conduites quotidiennes, relève de ce que Sartre, dans une analyse célèbre, a nommé « mauvaise foi ».

L'analyse que fait Sartre de la « mauvaise foi » permet de comprendre le comique, – ou plutôt le tragique – de Tartuffe : désireux d'aimer, d'être aimé, de s'élever socialement pour accéder à l'existence individuelle, Tartuffe ne cherche qu'à être ce qu'il ne paraît pas et à paraître ce qu'il est (« Ah ! pour être dévot, je n'en suis pas moins homme. »), mais constamment le regard d'autrui l'oblige à rajuster le masque qui glisse et à poursuivre le jeu de rôle dans lequel il s'est lui-même enfermé. Les regards de Dorine, d'Elmire ou de Damis le clouent à sa « mauvaise foi ». Ils réduisent Tartuffe, quoi qu'il en ait, à mimer le dévot. Le dévot de Molière est toujours « un peu trop », comme le garçon de café de Sartre. Portrait d'un « tartuffe au plateau » :

> *Considérons ce garçon de café. Il a le geste vif et appuyé, un peu trop précis, un peu trop rapide, il vient vers les consommateurs d'un pas un peu trop vif, il s'incline avec un peu trop d'empressement, sa voix, ses yeux expriment un intérêt un peu trop plein de sollicitude pour la commande du client, enfin le voilà qui revient, en essayant d'imiter dans sa démarche la rigueur inflexible d'on ne sait quel automate, tout*

en portant son plateau avec une sorte de témérité de funambule, en le mettant dans un équilibre perpétuellement instable et perpétuellement rompu, qu'il rétablit perpétuellement d'un mouvement léger du bras et de la main. Toute sa conduite nous semble un jeu. Il s'applique à enchaîner ses mouvements comme s'ils étaient des mécanismes se commandant les uns les autres, sa mimique et sa voix même semblent des mécanismes ; il se donne la prestesse et la rapidité impitoyable des choses. (..) Mais à quoi donc joue-t-il ?... Il joue à être garçon de café. (...) (Il) joue avec sa condition• pour la réaliser. *Cette obligation ne diffère pas de celle qui s'impose à tous les commerçants : leur condition est toute de cérémonie, il y a la danse de l'épicier, du tailleur, du commissaire-priseur, par quoi ils s'efforcent de persuader à leur clientèle qu'ils ne sont rien autre qu'un épicier, qu'un commissaire-priseur, qu'un tailleur.*

Jean-Paul Sartre, *L'Être et le Néant*, Gallimard, 1943.

Quand les dévots gagnent la partie

•

Tartuffe est d'abord un parasite•, mais il l'est en toutes fonctions. Notamment, il « parasite » la communication entre les membres d'une famille en brouillant la langue et le rapport des mots aux choses : dans son langage dévot, Tartuffe nomme le péché une action de grâce. Ainsi préfigure-t-il l'homme à la « langue de bois », dont Orwell a peint les ravages dans *1984*. (cf. également la citation de Montaigne rapportée p. 188) :

Idéologie officielle, imposée à chacun par l'équivalent d'une « Cabale », le « Parti », dont les « dévots » mettent les « ramifications souterraines » au service de l'orthodoxie qui fonde leur règne :

Le ministère de la Vérité – Miniver en novlangue – frappait par sa différence avec les objets environnants. C'était une gigantesque construction pyramidale de béton d'un blanc éclatant. (...) De son poste d'observation, Winston pouvait encore déchiffrer sur la façade l'inscription artistique des trois slogans du Parti : LA GUERRE C'EST LA PAIX ; LA LIBERTÉ C'EST L'ESCLAVAGE ; L'IGNORANCE C'EST LA FORCE. *Le ministère de la Vérité comprenait, disait-on, trois mille pièces au-dessus du niveau du sol, et des ramifications souterraines correspondantes.*

George Orwell, *1984, (Nineteen Eighty-Four)*, traduction A. Audiberti, Gallimard, 1950.

Tous les moyens sont bons pour étouffer la liberté de pensée. De même qu'il existait une langue dévote, que Tartuffe savait manier avec un art consommé, il existe un vocabulaire officiel de l'orthodoxie, le « novlangue », dans lequel chacun est tenu d'enfermer sa pensée :

Le but du novlangue était, non seulement de fournir un mode d'expression aux idées générales et aux habitudes mentales des dévots de l'angsoc, mais de rendre impossible tout autre mode de pensée.

Ibid.

Destruction de toute bonne foi, et perversion des sentiments les plus naturels par le soupçon permanent d'« hérésie » que fait peser sur chacun la « Police de la Pensée » :

> *(Winston) détestait presque toutes les femmes, surtout celles qui étaient jeunes et jolies. C'étaient toujours les femmes, et spécialement les jeunes, qui étaient les bigotes du Parti : avaleuses de slogans, espionnes amateurs, dépisteuses d'hérésies. Mais cette fille en particulier lui donnait l'impression qu'elle était plus dangereuse que les autres. Une fois, alors qu'ils se croisaient dans le corridor, elle lui avait lancé un rapide regard de côté qui semblait le transpercer et l'avait rempli un moment d'une atroce terreur. L'idée lui avait même traversé l'esprit qu'elle pouvait être un agent de la Police de la Pensée.*
>
> *Ibid.*

Amour, cocuage et jalousie

•

Dans la pièce, l'amour joue le rôle qui lui est traditionnellement dévolu dans une comédie. Il répand le sel comique avec le motif du cocuage, et nourrit l'intrigue par les péripéties que suscite la jalousie. Néanmoins, sans se départir jamais du ton de la comédie, Molière transforme ce ressort traditionnel, en lui imprimant une force dramaturgique• inégalée jusque-là.
C'est à propos de la **jalousie** que Molière demeure le plus conventionnel. Ce ressort nous vaut la scène, traditionnelle et ici quelque peu anecdotique, du « dépit amoureux• » entre Mariane et Valère au deuxième acte, l'éclat de Damis sortant du cabinet, les soupçons de Tartuffe, son cynisme arrogant au moment où il pense avoir triomphé, et la fureur d'Orgon enfin détrompé.
Dans le traitement de l'amour, Molière fait preuve d'une plus grande originalité. Sa technique consistant à rehausser la grande comédie des épices de la farce•, il inscrit ses personnages dans des types• traditionnels, mais il a le génie de les animer d'une vie propre. Dans *Tartuffe*, nous retrouvons le trio habituel de la farce médiévale : « La Femme », volage et rusée, « Le Galant », souvent un moine paillard ; « Le Mari », aveugle et cocu... Elmire est rusée, coquette et mal mariée, mais elle n'est plus femme de vilain. En l'élevant à la condition d'une mondaine, Molière lui donne le caractère d'une femme « honnête ». Avec Tartuffe, Molière reprend la contradiction sur laquelle était construit le moine paillard : un caractère• sensuel contredisant la condition• du « clerc ». Mais en faisant de Tartuffe un directeur de conscience•, il enracine cette contradiction dans les mœurs de la bourgeoisie de son temps, et en approfondit vertigineusement la portée. Ce personnage ridicule prend une envergure inquiétante qui nous rapproche du drame. Orgon enfin, virtuellement trompé, ne conserve qu'une apparence de cocu farcesque. Tel est bien cependant le rôle qu'il joue sous la table, et cela suffit à épicer la pièce du thème traditionnel du cocuage, (cf. également v. 537).
L'**amour** concerne cinq couples, dont trois seulement sont montrés : Mariane et Valère, Damis et la sœur de Valère, Tartuffe et Mariane, Elmire et Tartuffe, Elmire et Orgon.
Le sentiment, comme il se doit, est vif et sincère entre les jeunes gens, mais, chose plus rare dans une comédie, il va jusqu'à les faire souffrir. Mariane, Valère et Damis ont par endroits des accents pathétiques, qui confineraient au drame, n'était la touche de parodie.

L'amour est beaucoup plus tiède et conventionnel entre les parents. La seule scène où les époux soient ensemble est lorsqu'Elmire tente de convaincre Orgon de se prêter à son stratagème. Entre eux, en raison de la différence d'âge, et parce que Tartuffe a réussi à détacher Orgon de son épouse, le désir semble absent. Chez Elmire, le sentiment se réduit à ce qu'exige la simple honnêteté•.

En revanche Tartuffe, calculateur et faux dévot, est affligé d'une concupiscence immodérée. Il ne parvient pas à en contrôler ses débordements, déclare son ardeur dans le langage de la dévotion• mystique la plus brûlante, et se perd par l'excès baroque• de ses désirs. Par là-même, l'amour va bien au-delà de son rôle traditionnel dans une comédie.

Enfin, sans en exagérer l'importance, on ne saurait exclure le sentiment contre nature qui jette Orgon dans les bras de Tartuffe. Cette passion, d'essence burlesque, se rapproche pourtant, par les bouleversements qu'elle produit, des ravages qu'exerce l'amour fatal dans les tragédies ! Orgon se retrouve le rival de sa femme (IV, 6-7).

Dans l'œuvre de Molière :

- ***Rencontre amoureuse :*** le dispositif dramaturgique• du récit que fait Orgon de sa rencontre avec Tartuffe peut être rapproché d'une situation analogue : *l'École des femmes,* II, 5, v. 484-502. Dans un cas comme dans l'autre, il s'agit d'un récit fait par l'un des protagonistes• de la rencontre (Agnès, ou Orgon). Ici par aveuglement, là par ingénuité, le sentiment qui naît reste ignoré du personnage acteur et narrateur de la scène, mais se révèle par le regard d'un personnage auditeur et témoin (Arnolphe, ou Cléante).
- ***Irrésistibilité de la beauté et des appas :*** la comparaison permet de faire ressortir l'originalité du vocabulaire mystique de Tartuffe par rapport à la rhétorique amoureuse ordinaire, héritée de la préciosité : *l'Étourdi,* I, 3, v. 111-114 ; V, 8 ; *Dom Garcie de Navarre,* III, 2, v. 950-955 ; *L'École des femmes,* IV, 1, v. 1021-1024 ; *Le Misanthrope,* I, 1, v. 229-234 ; II, 1, v. 461-464 ; IV, 3, v. 1315-1320 ; *Dom Juan,* I, 2 ; *L'Avare,* I, 2 ; III, 5 (Harpagon chausse ses lunettes pour lorgner les appas de Mariane) ; *Les Femmes savantes,* I, 2, v. 129-154 ; II, 3, v. 378 ; IV, 3, v. 1179-1182 ; V, 1, v. 1471-1475 et 1515-1519.
- ***Appas contre honnêteté•*** : *L'École des femmes,* I, 1, v. 104-106 ; III, 2, v. 754-759 ; *Le Misanthrope* II, 1, v. 465-474 ; III, 4, v. 1001-1024.
- ***Pudeur des femmes*** : *L'Étourdi* I, 4, v. 155-160 ; I, 5, v. 227-228 ; *L'École des maris,* II, 5 ; *Le Misanthrope,* IV, 3,

v. 1397-1408 ; V, 2, v. 1629-1636 ; V, 3, v. 1653-1662 ; *L'Avare*, III, 5 ; V, 3. *Les Femmes savantes*, I, 4.

■ ***Déclarations amoureuses :*** *L'Étourdi*, I, 3 ; *L'École des maris*, II, 3, v. 482-492 ; II, 8 ; *Dom Juan*, II, 2 ; *Le Misanthrope*, III, 5 ; IV, 1, v. 1197-1202 et 1207-1216 ; IV, 2, v. 1252-1258 ; IV, 3, v. 1391-1414. *Les Femmes savantes*, I, 2, v. 129-154.

■ ***Amour et raison :*** *Le Misanthrope*, II, 1, v. 225-248 ; V, 4, v. 1747-1756 ; *Les Femmes savantes*, V, 1, v. 1497-1503.

■ ***Dépit amoureux• :*** *Le Dépit amoureux* (en entier, mais surtout actes III et IV) ; *Les Fâcheux*, II, 5 ; *Le Misanthrope*, IV, 3 ; *Les Femmes savantes*, I, 1, v. 109-110 ; IV, 2, v. 1141-1144.

■ ***Jalousie :*** *L'École des femmes, Le Misanthrope, passim.*

■ ***Cocuage et infidélité de la femme :*** *La Jalousie du Barbouillé*, (ensemble du rôle d'Angélique) ; *Le Dépit amoureux*, V, 8, v. 1776-1795 ; *Sganarelle, passim*, (craintes) ; *L'École des femmes, passim ; Le Mariage forcé, passim ; Dom Juan*, V, 2 ; *Le Médecin malgré lui*, III, 3 (projet) ; *Georges Dandin, passim* (rôle d'Angélique) ; *Les Femmes savantes*, V, 1, v. 1537-1542.

■ ***Honneur du mari :*** *Sganarelle*, 16-17 (rôle de Sganarelle) ; *L'École des femmes, passim ; Georges Dandin, passim.*

Autres rapprochements :

■ ***Amours de comédie :*** Marivaux, *Le Jeu de l'amour et du hasard, Les Fausses confidences, La Fausse suivante*, etc. Musset, *Les Caprices de Marianne, On ne badine pas avec l'amour.*
Dépit amoureux• : Marivaux, *Le Jeu de l'amour et du hasard*, (III, 8) ; Beaumarchais, *Le Mariage de Figaro* (III, 18).

■ ***Jalousie :*** Marivaux ; Beaumarchais, *Le Barbier de Séville*, (II, 4), *Le Mariage de Figaro*, (acte II, sc. 10 à 19 ; acte IV, sc. 13 à 15 ; acte V, sc. 3 à 8, acte V, sc. 7).

■ ***Cocuage :*** farces médiévales, comédies de boulevard (Labiche, Courteline).
La jalousie est un thème inépuisable. Dans un tout autre registre : *Andromaque* (IV, 5), *Bajazet* (V, 4), *Iphigénie* (IV, 1), Phèdre : « Ils s'aiment! par quel charme ont-ils trompé mes yeux ?... », (IV, 6). Jalousie fatale d'Orosmane (V, 8 et 9), le sultan de Jérusalem, dans *Zaïre* de Voltaire, inspirée, sous son masque oriental, d'*Othello* (dont la jalousie crédule s'apparente à celle du Comte dans *Le Mariage de Figaro*, II, sc. 10-19).
Dans le roman : jalousie de Monsieur de Clèves, dans *La Princesse de Clèves* (IVe partie), de madame de Rênal, dans *Le Rouge et le Noir* (chap. 9), de Marcel, le narrateur de *La Recherche du temps perdu*, vis-à-vis d'Albertine, ou de Swann, causée par Odette de Crécy.

L'argent : héritages, testaments, donations

•

Dans la pièce : l'une des péripéties majeures est qu'Orgon déshérite son fils et fait donation de ses biens à Tartuffe (III, 6 et 7, v. 1139 et 1175-1178). Il donne ainsi à l'hypocrite les moyens de son ambition et lui confère une puissance dont il se servira pour perdre toute la famille (IV, 8, v. 1557-1564).

Dans l'œuvre de Molière : la famille se définit par son patrimoine. Sa transmission successorale fournit à la comédie d'intrigue• d'excellents renversements de situation, dont le genre se nourrit. La comédie ne met guère en scène que des bourgeois, dont la puissance se fonde sur l'argent. Dès lors, héritages, testaments et donations permettent de renverser, par surprise, les rapports de force. De plus, l'argent fournit un thème éternel à la satire des caractères et des mœurs dans la grande comédie. *L'Étourdi*, II, 2, v. 521 ; IV, 1, v. 1290 ; IV, 3, v. 1484 ; *Dépit amoureux*, II, 1, v. 373-386 ; V, 4, v. 1584-1585 ; *L'École des maris*, I, 2, v. 99-104 ; *L'École des femmes*, IV, 2, *L'Avare*, II, 1 ; IV, 5 ; *Le Misanthrope*, I, 5, 6 & 7.

Autres rapprochements : thème fréquent de la comédie de mœurs du début du XVIIIe siècle et jusqu'au XXe siècle : Le Sage, *Le Légataire universel* ; Balzac : *Eugénie Grandet, Le Cousin Pons*, Mauriac : *Le Nœud de Vipères*.

Bâtons, battes, gifles et coups

•

Dans la pièce : la « batte », attribut traditionnel d'Arlequin dans la commedia dell'arte•, figure dans la liste des accessoires *(Mémoire de Mahelot)*, mais elle n'intervient pas. Il s'agit là d'un souvenir de la farce•, résiduel dans la grande comédie. Orgon (v. 1135), Damis (v. 1768), et Dorine (v. 1804) menacent de frapper et réclament un bâton, mais aucun d'eux ne passe à l'acte.

Dans l'œuvre de Molière : coups de bâtons et gifles jouent évidemment un grand rôle : cf. entres autres, *Les Précieuses ridicules*, 13 ; *L'Avare* ; *Les Fourberies de Scapin*.

Autres rapprochements : farces du Moyen Âge, Marivaux, (certains rôles d'Arlequin), Beaumarchais, *Le Mariage de Figaro*, V.

Dévotion, prudes et bigots

•

Dans la pièce : ils sont incarnés par Mme Pernelle, Orgon, Tartuffe et M. Loyal auxquels il convient d'ajouter Orante, « prude à son corps défendant », ainsi que Laurent, personnages décrits mais invisibles. Nous ne connaissons la prude Orante, invisible, prototype de l'Arsinoé du *Misanthrope,* que par le portrait que Dorine brosse d'elle (I, 1, v. 121-140).

Dans l'œuvre de Molière :

- ***Prudes :*** *L'Étourdi,* III, 2, v. 959-978 (Célie) ; *Critique de l'École des femmes ;* Arsinoé dans *Le Misanthrope* ; « La Nuit » dans le prologue d'*Amphitryon,* v. 120-147 et Cléanthis, I, 4, dans la même pièce.

- ***Dévotion :*** *Dom Juan,* V, 2 ; *Les Fourberies de Scapin,* II, 5.

Autres rapprochements : Stendhal, *Le Rouge et le Noir* (voir ci-dessus) ; Montesquieu, *Lettres persanes ;* Voltaire, *Candide, Lettres philosophiques,* entre autres, car Voltaire n'a cessé de poursuivre de son ironie acerbe les bigots et fanatiques de tout poil tout au long de son œuvre (« Écrasons l'Infâme ! »...)

Dominique Reymond (Elmire) et Maria Casares (Mme Pernelle), mise en scène de Bernard Sobel, Théâtre de Gennevilliers (1990).

La famille constellation• typique

•

Dans la pièce : les personnages du *Tartuffe* sont groupés en une *famille.* Cette disposition, fréquente dans le théâtre de Molière, prend ici une importance toute particulière. D'abord la famille d'Orgon est complète, contrairement, par exemple, aux deux familles symétriques des *Fourberies de Scapin.* Mais surtout le monomane• est le chef de la famille. La perversion de son désir en bouleverse l'ordre et prive ses victimes du recours naturel à l'autorité d'un père.

Rapprochements : les personnages de théâtre ne sont jamais isolés, ils appartiennent à des **séries** qui font d'eux des signes codifiés. Un personnage se définit par cinq traits au moins : son sexe, son caractère•, sa condition•, un désir particulier (d'où procède une quête•), et une position dominante ou subordonnée au sein d'une hiérarchie.

Or, la famille concentre et articule ces paramètres le plus simplement du monde :

– *par son rang,* la famille signifie le *genre* : sang royal, problèmes dynastiques sont des signes de la tragédie. Bourgeoisie et problèmes domestiques situent l'action dans le ton de la comédie ;

– *par son train de maison* et *son organisation interne,* la famille situe les personnages dans une condition ;

– *par son intimité,* elle révèle les *caractères.*

En outre, elle est une *hiérarchie* qui établit entre les personnages des relations de *pouvoir,* (père/enfants ; maître/valet) d'où naissent les conflits. Surtout, parce qu'elle repose sur le *mariage,* elle est le lieu où peuvent être rendues visibles les tensions qui naissent du *désir* d'où les motifs• récurrents dans la comédie du mariage contrarié, de la jalousie, ou du cocuage.

Enfin la famille est un lieu clos, que la dramaturgie• peut aisément opposer à l'extérieur, à l'espace ouvert. Or bien des fables du théâtre se laissent ramener au *schéma moteur de l'***intrusion :** un élément, venu de l'extérieur, pénètre au sein d'un espace clos dont il perturbe l'ordre. *Tartuffe* en est un bel exemple : dans la maison d'Orgon, réprésentée par une « salle basse », font successivement irruption le parasite• (Paris/province), Orgon de retour de sa maison des champs (ville/campagne, le père/tous les autres) et le Prince (la Cour/la Ville ; public/privé).

On peut songer aux *Fausses confidences* de Marivaux (arrivée de Dorante), à *Phèdre* (retour de Thésée), *Andromaque* (arrivée d'Oreste). Aussi n'est-il pas étonnant que les personnages de théâtre soient si souvent regroupés en familles, aussi bien dans les tragédies *(Œdipe-Roi, Phèdre, Iphigénie, Horace, Polyeucte, Antigone...)* que dans les comédies *(Le Bourgeois gentilhomme. Le Tartuffe, Le Jeu de l'Amour et du Hasard, Le Mariage de Figaro...)*. Parmi les différentes figures sous lesquelles on peut représenter la réunion de tous les actants : le procès *(Le Mariage de Figaro)*, la noce *(Le Mariage, La Noce chez les petits bourgeois)*, le banquet, le château, etc. ; la famille est de loin le plus commode : c'est un groupe restreint, où les conflits sont resserrés.

Outre le schéma moteur fondamental, lieu clos/espace ouvert, la famille met en jeu un conflit humain essentiel : celui qui oppose les exigences de la nature à la perversion des désirs ou à l'arbitraire moral propre à un milieu.

Méprises, aveuglement et reconnaissance•

•

Parce qu'il ne vit que d'apparences•, le théâtre décline en tous ses tons le thème dramaturgique• des apparences trompeuses. C'est même un de ses schèmes moteurs essentiels que d'opposer le *déguisement* trompeur à son *dévoilement*, et, corrélativement, *l'aveuglement* de la dupe à la *reconnaissance* de son erreur. Il le fait aussi bien sur le mode tragique (tragédies avec méprise, péripéties et reconnaissance) que sur le mode comique (qui-proquos).

Dans la pièce : *Tartuffe* repose sur le vieux schéma de la « tromperie », hérité de la farce, avec le motif du trompeur-trompé. Tartuffe est masqué, le dénouement le démasque. Orgon s'aveugle sur la vraie nature de Tartuffe, le stratagème d'Elmire lui fait connaître son erreur et apercevoir enfin que son protégé convoitait sa femme. Tartuffe voulait déloger Orgon, il est délogé par l'Exempt... L'aveuglement d'Orgon est au principe de toutes les péripéties : mariage forcé de Mariane, et malédiction de Damis. Le dénouement est assuré par la reconnaissance du vrai Tartuffe par Orgon puis par le roi.

Dans l'œuvre de Molière :
- ***Incognito/reconnaissance*** : *L'École des femmes*, (Agnès) ; *L'Avare* (Valère).

■ ***Imposture/dévoilement*** : *Les Précieuses ridicules*, 13-15 (Mascarille) ; *Amphitryon*, III, 9-10 (Mercure, Jupiter) ; *Les Amants magnifiques*, V, 3 (Anaxarque) ; *Les Femmes savantes*, V, 4 (Trissotin).

■ ***Déguisement/reconnaissance*** : *Le Médecin malgré lui* (II-III, Sganarelle ; III, 1, 5 et 6 Léandre) ; *Le Bourgeois gentilhomme*, IV, 3-5 et V ; *Le Malade imaginaire*, III, 8-10 (Toinette).

■ ***Aveuglement/reconnaissance*** : *L'École des femmes* (Arnolphe) ; *Le Misanthrope* (Alceste) ; *Les Femmes savantes* (Bélise).

Autres rapprochements : ce thème se retrouve dans la farce médiévale, *(Farce de Maître Pathelin)*, dans les facéties rabelaisiennes (les moutons de Panurge), ou les *Fables* de La Fontaine (ex. *Le Lion et le Moucheron*). La littérature baroque en fait un de ses motifs de choix. La comédie s'en nourrit (échange des costumes entre les maîtres et leurs serviteurs dans *Le Jeu de l'amour et du hasard ;* échange de costumes entre La Comtesse et Suzanne dans *Le Mariage de Figaro* de Beaumarchais, aveuglement du Comte, puis reconnaissance de son erreur, etc.).

Mais la tragédie classique peut user aussi de ce motif• de l'aveuglement et de la reconnaissance et ce, pour des raisons tout à fait essentielles : le héros ne pouvant être « ni tout à fait• bon ni tout à fait méchant », pour que ses malheurs suscitent « terreur et pitié », il faut qu'il s'abuse, dans un premier temps, que cet aveuglement le porte à des errements criminels, et qu'il reconnaisse enfin son égarement fatal, pour que s'opère la « purgation » des passions.

Phèdre s'aveugle quand elle croit que la mort de son époux lui permet de vivre cet amour interdit sans lequel elle ne saurait plus exister. Cet aveuglement la porte à l'aveu coupable de sa flamme. Le retour de Thésée lui fait reconnaître son illusion : nul compromis n'est possible entre son désir et le monde. De son côté, Thésée se croit trompé par Hippolyte, il maudit son fils, est exaucé par Neptune, puis reconnaît, mais trop tard, son tragique aveuglement. (*Phèdre* repose sur un schéma de farce : « Thésée, ou le Cocu imaginaire ! »).
Il n'est pas surprenant que l'aveuglement d'Orgon ait des accents tragiques : cette impossibilité de se fier aux apparences reflète la finitude de la condition humaine, aussi, au-delà du théâtre, ce thème est-il profondément universel (cf., dans le roman, les personnages de Julien Sorel chez Stendhal, Vautrin chez Balzac et Jean Valjean ou Quasimodo chez Hugo).

Misanthropie et critique du « siècle où nous sommes »

•

Dans la pièce : Orgon incline à la misanthropie (I, 5, v. 349). Détrompé, il accentue sa critique du « siècle où nous sommes » et veut rompre en visière avec le monde (V, 1, v. 1604-1606 ; V, 6, v. 1847). Mme Pernelle partage les préventions de son fils (I, 1, v. 85-90, 151-168, V, 3, v. 1656-1686). C'est toujours chez Molière un défaut ridicule.

Dans l'œuvre de Molière : *L'École des maris,* I, 3, v. 265-271 ; *L'École des femmes,* III, 2, v. 778 ; *Dom Juan,* V, 2 ; *Le Misanthrope ; Les Femmes savantes,* II, 7, v. 577-585 ; III, 3, v. 984 ; IV, 2, v. 1255-1256.

Autres rapprochements : sur le mode sérieux et sans ironie, le thème est inlassablement repris par les moralistes du siècle, comme Pascal, La Bruyère, Boileau, La Rochefoucauld.

Mondaines et mondains : honnêteté•/hypocrisie•

•

Dans la pièce : Elmire, emploi• de grande coquette•, tient ici le rôle d'une mondaine honnête, mais elle joue à Tartuffe la comédie de l'amour, et use pour cela du langage artificieux des précieuses•.(III, 3 ; IV, 5.)

Dans l'œuvre de Molière : parmi les masques que les hommes portent ordinairement, Molière, comme tous les moralistes de son siècle, a ménagé une place de choix aux mondains. Son idéal est celui de l'honnêteté mondaine (Elmire, Cléante) et du « naturel » (cf. *Le Misanthrope,* I, 2, v. 373-415), mais il dénonce ceux pour qui le monde, loin d'être le lieu naturel de la sociabilité, se réduit à la comédie, vaine, hypocrite et cruelle, du paraître : si la volonté du Misanthrope de rompre avec le monde est condamnée, l'hypocrisie des coquettes et des précieuses ne l'est pas moins. Souvent, la comédie des mondains apparaît à travers des portraits, chez des personnages nommés mais invisibles, dont la mention élargit le champ de la critique sociale au-delà des limites de la scène et de la distribution, comme dans *Le Tartuffe* ou *Le Misanthrope.*

▪ ***Coquettes :*** *L'École des femmes,* III, 2, v. 719-720 ; *Le Mariage forcé,* rôle de Dorimène ; *Le Misanthrope,* rôle de Célimène.

▪ ***Imposture et artifices :*** *Dom Juan ; Le Misanthrope,* I, 1, v. 123-140 ; IV, 3 ; V, 1, v. 1483-1524 ; *L'Avare,* V, 5 ; *Le Bourgeois gentilhomme,* III, 16 ; IV ; *Les Fourberies de Scapin,* II, 7 ; III, 2 ; *Les Femmes savantes,* rôle de Trissotin.

▪ ***Calomnies*** : *L'École des femmes,* I, 1, v. 15-20 ; I, 4, v. 306-308 ; II, 5, v. 467-468 ; *Le Misanthrope*, II, 4 ; III, 4 ; V, 4, v. 1681-1682 ; *L'Avare,* III, 1 ; V, 2. *Les Femmes savantes,* IV, 4.

Autres rapprochements : la comédie du monde se montre partout à travers le nombre infini des coquettes : chez Beaumarchais, la Comtesse du *Mariage de Figaro* aime se donner à elle-même le spectacle de l'amour qu'elle inspire à Chérubin (II, sc. 3 à 9). Ses « vapeurs » la tourmentent, elle s'évente furieusement avec son « éventail », et, sous prétexte de ramener son époux, se pique volontiers au jeu des comédies successives qu'elle lui joue (II, 10 à 19, et V, 7). Citons encore la plupart des héroïnes de Marivaux, Silvia dans *Le Jeu de l'amour et du hasard,* Araminte dans *Les Fausses confidences.*

Coquette, mais perverse, la Marianne de Musset *(Les Caprices de Marianne).* La blonde Hélène de Giraudoux, *La guerre de Troie n'aura pas lieu.*

Dans le roman : chez Stendhal, Mathilde de La Môle *(Le Rouge et le Noir)* ; chez Proust, Odette de Crécy *(La Recherche du temps perdu, Un amour de Swann)* ; dans les *Illusions perdues* de Balzac, Madame de Bargeton ; Diane de Nettencourt, dans *Les Cloches de Bâle* d'Aragon ; Hélène, dans *La guerre de Troie n'aura pas lieu,* de Giraudoux.

Nourriture, repas, gloutonnerie

•

Dans la pièce : Tartuffe se définit par ses appétits, ce qui n'a pas échappé à Dorine, qui, à l'occasion, doit servir à table (I, 2, v. 191-194 ; I, 4, v. 234, 238-240).

Dans l'œuvre de Molière : la gloutonnerie est un trait de ridicule farcesque fréquemment utilisé, de même que de simples allusions à des repas, thème réputé « bas », et relevant de ce fait du réalisme « comique ». « Souper », préoccupation essentielle chez les picaros comme chez bien des personnages de comédie, les valets notamment, est aussi bien le souci de Gros-René ou de Tartuffe que de Dom Juan : *L'Étourdi,* IV, 4, v. 1514-1538 ; *Sganarelle,* 7, v. 223-224 et 229-249 ; *L'École des femmes,* II, 3, v. 430-439 ; *Dom Juan,* IV, 1 ; IV, 3 ; IV, 5 ; IV, 7 et 8 ; V, 6 ; *Amphitryon,* I, 2, 498-504 ; *L'Avare,* II, 5 ; III, 1, etc.

Autres rapprochements : Fabliaux, *Le Roman de Renart* ; Rabelais. Romans picaresques : *Gil Blas, Jacques le Fataliste...*

Paris-province

•

Dans la pièce et dans l'œuvre : sous Louis XIV, le monarque impose ses mœurs à la Cour, la ville imite la Cour, la province singe la ville... C'est alors que commence à s'accréditer le préjugé que Paris serait « le grand bureau des merveilles, le centre du bon goût, du bel esprit et de la galanterie ». (*Les Précieuses ridicules*). Molière, parisien de naissance, semble avoir eu bien plus de mal en province qu'à Paris à faire rire les honnêtes gens. Il est l'un des premiers à se gausser de la province, à laquelle il voue une rancune aussi absurde que tenace, et qui fera école : *Tartuffe*, II, 3, v. 656-667.

Autres rapprochements : La Bruyère, *Les Caractères* (« La Cour ») ; Montesquieu, *Lettres persanes ;* Stendhal, *Le Rouge et le Noir ;* Balzac, *La Comédie humaine, Eugénie Grandet, Le Lys dans la vallée, Illusions perdues, Les Paysans ;* Flaubert, *Madame Bovary ;* Mauriac, *Thérèse Desqueyroux ;* Sartre, *La Nausée ;* S. de Beauvoir, *Mémoires d'une jeune fille rangée.*

Le Prince, garant de l'ordre cosmique

•

Par opposition au thème des pères ou des rois-fous.

Dans la pièce : le roi joue un rôle essentiel, puisqu'il assure le dénouement en condamnant Tartuffe et en rétablissant dans la loi l'ordre de la Nature.

Dans l'œuvre de Molière : le personnage du roi ne peut apparaître dans les comédies, sauf dans les comédies héroïques ou galantes, aussi n'est-il question de lui qu'au travers d'allusions, toujours élogieuses. C'est que, sous la figure du roi, se cache une certaine idée de la Nature, chère à Molière, et essentielle à la compréhension de son théâtre. Le moi est volonté de puissance, tyrannie sur les autres. Aussi s'intègre-t-il mal à la société. L'idée pessimiste que se fait Molière de « l'insociable sociabilité » des hommes se laisse apercevoir à travers ses personnages de monomanes• tyranniques. Le plus souvent, il s'agit d'un père de famille ou d'un tuteur, dont le despotisme contre nature s'oppose aux désirs et aux mœurs de tout un groupe, sa propre famille la plupart du temps (Arnolphe dans *L'École des femmes*, Argan, dans *Le Malade imaginaire*, Dom Juan, Harpagon en sont des exemples connus, Alceste en est une variante).

Les personnages de Molière ne peuvent changer de volonté au cours de la pièce, en raison de la fixité des caractères dans le théâtre classique. C'est en cela du reste qu'il est le plus proprement « classique ». Aussi n'existe-t-il point à l'intérieur de ses pères abusifs de mécanismes psychologiques qui puissent compenser en eux la volonté exclusive et constante de domination. Pour que le personnage soit réduit à l'impuissance, car il faut que la comédie finisse bien, Molière doit parfois recourir à un pouvoir extérieur, comme le Ciel qui foudroie Dom Juan, ou le roi qui emprisonne Tartuffe. Dans ces conditions, le Prince est toujours chez lui une figure tutélaire : père de tous ses sujets, il compense les errements des pères abusifs et rétablit l'harmonie de la Nature, l'ordre même du cosmos•.

Autres rapprochements : le thème du roi est propre à l'univers de la tragédie, puisque les règles veulent qu'un tel personnage ne puisse paraître que dans les genres qui visent au sublime. S'il arrive que le roi rétablisse l'ordre naturel comme le fait Thésée dans la dernière réplique de *Phèdre,* souvent le roi de tragédie est l'antithèse exacte des rois de Molière. Instrument de la fatalité, il peut être alors un roi-fou, et par conséquent un avatar tragique des pères monomanes• du poète comique. Citons, chez Shakespeare *Le Roi Lear,* ou *Henri II,* et chez Camus *Caligula.* On peut également penser à l'Agamemnon de Racine, otage par amour-propre de la volonté barbare des dieux, prêt à sacrifier sa fille Iphigénie à la gloire de l'expédition qu'il dirige *(Iphigénie).* Les motifs• activés sont ici les mêmes que dans la comédie moliéresque : supérieur contre subordonné, ordre contre désordre, folie contre raison, nature contre monstruosité. Le roi-fou dessine un thème dramaturgique essentiel, surtout dans l'imaginaire baroque. La comédie de Molière le transpose en père-fou dans l'univers de la comédie, mais lui oppose le motif anti machiavélien du roi-juste. Celui-ci est conforme à l'anthropologie classique, largement tributaire encore parmi les Modernes du cosmos• aristotélicien, et de sa confiance infinie dans la providence de la Nature.

Parents et enfants
Mariage contrarié/mariage forcé

•

Dans la pièce : les noces de Mariane avec Valère, celles de Damis avec la sœur de Valère, sont contrariées par la volonté d'Orgon de voir sa fille épouser Tartuffe, sous peine du couvent.

Dans l'œuvre de Molière : le mariage est l'enjeu le plus fréquent des comédies de Molière. Comme le dénouement doit en être heureux, celles-ci se terminent le plus souvent par l'accomplissement de l'union souhaitée. Mais le théâtre ne vit que de péripéties, et il faut donc bien que ce mariage sur lequel tout se conclura, commence par être contrarié. La plupart du temps, l'obstacle au mariage d'inclination consiste en une autre alliance qu'au nom des convenances ou de sa marotte, le père, le tuteur, ou la famille prétend imposer. Bien que le sexe faible soit le plus menacé, il arrive, par souci de symétrie, que chacun des deux jeunes gens se voie imposer un mariage forcé. La seule alternative pour les jeunes filles est d'ordinaire le couvent.

Ce motif• se retrouve dans toutes les comédies de Molière : *Les Précieuses ridicules,* où Cathos et Magdelon se voient imposer par leur père d'épouser La Grange et Du Croisy, *L'École des maris, L'École des femmes,* où Agnès doit épouser Arnolphe au lieu de Valère dont elle est éprise, *Le Mariage forcé, L'Avare,* où Mariane se voit proposer pour époux Harpagon au lieu de Cléante, Élise le seigneur Anselme à la place de Valère, et Cléante « une certaine veuve » au lieu de Mariane, *Monsieur de Pourceaugnac.*

Autres rapprochements : le thème du mariage forcé ou contrarié, générateur d'infidélité, donc de ridicule et de péripéties, rejoint celui de la femme mariée contre son gré à quelque barbon, cher à la farce• médiévale (par ex. *La Farce du Cuvier,* ou celle *d'Un Savetier nommé Calbain).*

On le retrouve à satiété dans les genres qui lui succèdent comme chez Rabelais *(Tiers Livre),* dans les contes de La Fontaine *(Le Calendrier des vieillards,* II, 8 ; *La Confidente sans le savoir,* V, 3 ; *Le Cocu battu et content,* I, 3), ou de Voltaire (*Zadig,* I-III), ainsi que dans la comédie d'intrigue, de Molière au théâtre du Boulevard (Beaumarchais, *Le Barbier de Séville* ; Musset, *Les Caprices de Marianne*).

Le thème des amours contrariées se retrouve dans la tragédie : Corneille, *Le Cid ;* Shakespeare, *Roméo et Juliette* et dans le roman : Balzac, *Le Lys dans la Vallée* (Mme de Mortsauf) ; *Eugénie Grandet.* Dans ce dernier roman, Balzac, reprenant le thème moliéresque de *L'Avare,* retrouve le motif du mariage contrarié : Grandet s'oppose au mariage de sa fille Eugénie avec son cousin Charles Grandet. Ce jeune homme à la mode a su éblouir la jeune provinciale. Hélas, le père de Charles vient de mourir ruiné. L'avare de Balzac l'expédie aux Indes, Eugénie se morfond à attendre. Mais dans le roman réaliste, la satire des vices individuels et le huis clos familial s'estompent au profit de la critique du rôle de l'argent dans la société.

Portraits et personnages invisibles crayonnés en marge

•

Dans la pièce : plusieurs personnages, *nommés et décrits*, n'apparaîtront cependant jamais sur la scène, ainsi les voisines d'Orgon que dépeint Dorine, « Daphné et son petit époux », Orante, prude « à son corps défendant » (I, 1), ou encore Laurent, le valet de Tartuffe, auquel le fourbe s'adresse depuis la coulisse, et le roi, dont l'Exempt célèbre l'éloge (V, 7).

Dans l'œuvre de Molière : les personnages nommés, décrits mais invisibles, sont un procédé fréquent. À peu de frais, Molière adjoint à l'action tout un monde imaginaire, qui entoure la scène et vient la hanter. Grâce à ces personnages d'arrière-plan, il élargit ses comédies à la société tout entière, et donne ainsi une portée générale à la satire des mœurs. Par là, la comédie de Molière ressemble un peu aux *Caractères* de La Bruyère, et se fait plus littéraire que théâtrale ; *Le Misanthrope* [l'inconnu salué par Philinte (I, 1), les portraits du salon de Célimène : Cléonte, Timante, Géralde, Adraste, Cléon, Damis (II, 4), puis ce « grand flandrin de Vicomte » qui crache « dans un puits pour faire des ronds » (V, 4)]. *L'École des femmes* : le paysan Gros-Pierre (I, 1, v. 178-182) ; l'entremetteuse truculente qui permit à Horace de rencontrer Agnès, et contre laquelle peste Arnolphe (II, 5, v. 503-536 : cette « vieille » est encore un souvenir de la « Macette » de Régnier (cf. *Les sources* p. 164) et un double femelle et invisible du Tartuffe encore à venir ! ; « l'aimable Angélique », sœur de Chrysalde et mère d'Agnès (V, 9, v. 1736 ; V, 7, v. 1654-1662) ; la pauvre paysanne qui fut sa nourrice (V, 9, v. 1752-1759) ; « le savetier » qu'Arnolphe prendrait volontiers pour un espion (IV, 1132-1135) ; les gens de la suite d'Horace (V, 2, v. 1446). Et, par-delà ces personnages nommés et décrits, se laisse encore entrevoir toute une foule d'anonymes dont le cortège pressé transforme les pièces de Molière en une vaste fresque : cf. par exemple cette litanie des époux anonymes, cocus et patients, ainsi que de leurs femmes rusées, qu'Arnolphe énumère comme à plaisir (I, 1, v. 25-42).

Tous ces personnages crayonnés en marge de l'action ont vocation à se développer et à reparaître dans les comédies futures, comme cette vieille entremetteuse qui sert d'esquisse au personnage de Tartuffe : un véritable écrivain se reconnaît à ce qu'il porte en lui un univers. Sur ce point, Molière vaut Balzac !

Autres rapprochements : les portraits sont rendus nécessaires par l'unité de lieu. Aussi les personnages invisibles sont-ils légion dans le théâtre classique, pour lequel ces figures constituent une indéniable richesse littéraire. (cf. Racine, *Iphigénie*). Il faut bien sûr évoquer ici l'auteur des *Caractères,* ou Saint-Simon, dans ses *Mémoires,* car l'art du portrait, jeu mondain ou motif• littéraire, est éminemment classique.

Récits

•

Les récits sont indispensables au théâtre classique. Ils relatent des événements importants de l'action, antérieurs au lever du rideau, ou extérieurs au lieu de la scène, tout en respectant les unités de lieu et de temps. De plus, ils offrent matière à tirade•.

Dans la pièce : récit des rapports entre Tartuffe et Orgon par Dorine à Cléante (I, 2), récit de la rencontre entre le maître et le parasite• par Orgon lui-même à Cléante (I, 5), récit du repas de la veille («le pauvre homme», I, 4), et récit de l'Exempt (V, 7).

Autres rapprochements : ils sont innombrables; cf. notamment le récit du combat dans *Horace* de Corneille, et celui de la mort d'Hippolyte dans *Phèdre* de Racine.

Reniement des liens familiaux

•

Dans la pièce : Molière célèbre parfois son éloge ordinaire de la Nature en montrant la monstruosité de certains reniements des liens familiaux. C'est ce que fait Orgon à deux reprises, lorsque devant le désespoir de Mariane qui le supplie, il s'interdit toute «faiblesse humaine». (v. 1293), et quand il déshérite et maudit son fils (III, 6, v. 1136-1140).

Dans l'œuvre de Molière : tantôt ce sont les pères qui renient et maudissent leurs fils, tantôt les enfants qui renient leurs parents : *Dom Juan,* IV, 5 ; *L'Avare,* IV, 5 ; *Les Femmes savantes,* II, 7, v. 618-620.

Autres rapprochements : Balzac, *Le Père Goriot.* Le vermicelier marie ses filles dans le meilleur monde, se ruine pour elles, et meurt oublié et méprisé par celles qu'il a le plus chéries ; *Le Cousin Pons.*

Valets et suivantes

•

Dans la pièce : la comédie latine mettait en scène, face à leur maître, le couple antagoniste de l'esclave et du parasite•, qui fusionneront en un seul emploi•, celui du « valet », dans la comédie classique. Si l'on ramène *Tartuffe* à ses origines, force est de constater que le parasite de la comédie latine est l'archétype sur lequel est bâti le rôle•. Dorine enfin, « fille suivante/ Un peu trop forte en gueule, et fort impertinente », au goût de Madame Pernelle (I, 1), campe l'une des figures les plus truculentes du répertoire dans cet emploi.

Dans l'œuvre de Molière : bien des personnages de valets ou de suivantes sont remarquables. Citons au nombre des valets rusés La Flèche dans *L'Avare*, ou le Scapin des *Fourberies*, parmi les valets raisonneurs, le Sganarelle de *Dom Juan*, et pour les valets balourds, Gros-René dans *Sganarelle*, Du Bois dans *Le Misanthrope*, Lubin dans *Georges Dandin*, ou La Merluche dans *L'Avare* (III, 9). Parmi les suivantes les plus truculentes, Nicole *(Le Bourgeois gentilhomme)*, Toinette dans *Le Malade imaginaire*.

Autres rapprochements : pas de comédie sans valet : leur rôle dramaturgique• et symbolique est même si fondamental que du *Phormion* de Plaute au *Mariage de Figaro* en passant par *Les Fourberies de Scapin*, ils sont souvent les véritables héros des comédies, et leur donnent leur titre.

▪ ***Comédie latine :*** Plaute, *Persa* (par ex. v. 306-326). *Asinaria*, (avec les pantomimes de Léonide, type du *servus currens*, l'esclave courant, qui arrive sur scène toujours à bout de souffle, et les fourberies de Liban, l'esclave roué, toujours à la recherche d'une ruse pour soustraire de l'argent à son maître...). Térence, *Phormion*, (exemple type• du parasite•, qui forme la paire avec l'esclave Géta).

▪ ***Chez les Modernes,*** esclaves et parasites se retrouvent dans les Zanni de la commedia dell'arte• : l'intrigant Brighella, le niais Arlequin. Ils poursuivent leur carrière après Molière. On peut citer le Crispin de Le Sage, (*Crispin rival de son maître*, [par ex. sc. 2]). La cupidité est un des attributs les plus constants des valets de comédie. Elle ne fait que croître avec le règne de l'argent-roi, sensible dès les dernières années de Louis XIV. En témoigne le personnage de Frontin, toujours chez Le Sage (*Turcaret* [par ex. acte V, sc. 14]). Chez Marivaux, on peut retenir *Le Jeu de l'amour et du hasard*, où Arlequin et Lisette prennent le costume de leurs maîtres, *L'Île des esclaves* où les valets sont maîtres, *La Fausse suivante*, où Trivelin, « tantôt maître, tantôt valet », tient autant du « picaro » de roman que du valet de comédie, tout comme le Figaro de Beaumarchais. Ce dernier offre au répertoire son plus grand rôle de « valet dégourdi de bonne compagnie ».

La dialectique du maître et du valet : le maître dépend souvent plus de celui qui le sert que son serviteur ne dépend de lui. Aussi le rapport de dominant à dominé tend-il à parfois à s'inverser.

Dans la pièce : Dorine tient la dragée haute à son maître Orgon (II, 2 ; V, 5, v. 1815-1820). Mais surtout, Tartuffe, le parasite•, impose sa volonté au maître de céans, et tente de le supplanter en toutes places, s'appropriant un à un les attributs de la maîtrise, tandis qu'Orgon le mime (III, 6). Cette subversion réussit jusqu'à l'ultime renversement contraire, qui restitue au maître sa maîtrise et rétablit l'ordre « naturel ».

Dans l'œuvre de Molière : même lorsqu'ils conduisent l'intrigue, comme Scapin (voir *Les Fourberies de Scapin,* coll. Classiques Hachette, 1991, pp. 123-125), les valets ne se substituent pas à leurs maîtres et reprennent toujours leur condition. En revanche il est arrivé qu'un maître se retrouve dans la peau d'un valet. On pourra s'interroger sur l'étonnante carrière de Sganarelle (voir *Dom Juan,* coll. Classiques Hachette, 1991, pp. 149-150).

Autres rapprochements : dans la comédie, ou le roman picaresque aussi bien (Le Sage, *Gil Blas,* Diderot, *Jacques le Fataliste*), la dialectique du maître et du valet permet de mettre à nu l'hypocrisie des conventions qui régissent les rapports sociaux. Ce rôle de dévoilement atteint son efficacité extrême tantôt lorsque les valets se déguisent et miment leurs maîtres (Marivaux, Genet...), tantôt lorsqu'ils se substituent à eux dans la conduite de l'intrigue, comme Scapin ou Figaro (voir *Le Mariage de Figaro,* coll. Classiques Hachette, 1991, pp. 262-272), tantôt enfin lorsqu'ils interprêtent les sous-entendus de la conduite de leurs maîtres (Dorine, Dubois dans *Les Fausses Confidences*). Alors, souvent le maître n'est pas celui qu'on pense.

actantiel (schéma), adjuvant : voir p. 169.

apparence : (vocabulaire philosophique), les choses telles qu'elles « apparaissent » à nos sens, par opposition à leur « essence », qui désigne ce qu'elles sont effectivement. Pour la science antique, trois hypothèses paraissaient imaginables : ou bien l'apparence est une « trace » matériellement imprimée en nous par l'objet, auquel cas elle ne saurait nous tromper (théorie d'Épicure, et, ici, de Molière), ou bien l'apparence est entièrement construite par nos sens (Pythagore), ou bien elle est mixte, à la fois construite par nos sens et imprimée par les objets (Platon) : dans ces deux derniers cas, différant de la chose en soi, elle nous trompe sur la réalité.
Quoi qu'il fasse, contrairement à l'Onuphre de La Bruyère (cf. p. 190), Tartuffe paraît à tous ce qu'il est : un hypocrite•. Pour Molière, cela devait en faire un personnage ridicule. Dans le premier Placet, il l'appelle *« un véritable et franc* hypocrite *»*; de même, l'auteur de la *Lettre sur l'Imposteur* écrit-il que M. Loyal *« a tout l'air de ce qu'il est,* c'est-à-dire le plus raffiné fourbe de sa profession ». Il faut donc avoir la *mauvaise foi* de Mme Pernelle ou d'Orgon pour *refuser* de voir l'évidence. Leur ridicule est de ne point voir ce que tous voient La représentation de l'hypocrisie au théâtre n'est guère « lisible » que si l'on admet, avec Épicure, que la Nature ne nous trompe pas sur les apparences. Telle est la leçon, paradoxale, du *Tartuffe.* Celle du *Misanthrope* sera beaucoup plus pessimiste, suggérant au contraire que l'homme est voué à demeurer prisonnier d'apparences toujours trompeuses.

baroque/classique : cf. p. 183.

bienséances : convenances; elles font partie des règles classiques, à côté des trois unités et du vraisemblable•. Les bienséances exigent du théâtre le respect des mœurs. Les bienséances « internes » veulent que les mœurs d'un personnage soient en accord avec son époque, le caractère que la tradition littéraire lui attribue, et les lois du genre. Les bienséances « externes » exigent que les situations ou le langage ne choquent ni les mœurs du public ni ses préjugés (d'où le recours fréquent, à la litote, à la périphrase, et aux termes « nobles »).

cabale : un mot clé pour comprendre la portée du *Tartuffe* : « Une société de personnes qui sont dans la même confidence et dans les mêmes intérêts; mais il se prend ordinairement en mauvaise part. » (*Dictionnaire* de Furetière). Une « cabale » est un minuscule parti politique, qui intrigue, parfois « à la ville », mais le plus souvent et surtout à la Cour pour faire pression sur le roi ou ses ministres (cf. la « Cabale des Dévots »).

caractère : non un profil psychologique, mais une série conventionnelle de traits de comportement qui permettent de classer le personnage parmi l'un des « types » connus : l'avare, l'atrabilaire, le matamore, l'ingénue, la coquette, l'amoureux, le pédant, le fourbe, etc. Voir emploi•.

catastrophe : ultime péripétie• d'une intrigue•, elle amène le dénouement, heureux dans la comédie, et malheureux dans la tragédie.

classique/baroque : cf. p. 183.

commedia dell'arte : dans le théâtre italien, « comédie de fantaisie », par opposition à la *commedia sostenuta* (soutenue). Seul le scénario en était écrit, les acteurs improvisant le dialogue, d'après la logique des situations et selon le caractère que leur imposait la tradition propre à leur emploi• (Arlequin, Pantalon, Géronte, le Docteur, etc).

communication théâtrale (duplicité de la) : particularité inhérente à la situation de communication au théâtre, qui est double : tandis que les personnages dialoguent entre eux sur la scène, en réalité, par leur truchement, l'auteur s'adresse au public. Contrairement à ce qui se passe dans le roman, l'auteur de théâtre ne peut faire intrusion dans l'échange pour le commenter. Il y a donc deux plans de communication, l'un, réel, mais implicite, d'auteur à public, le second, explicite, mais purement fictionnel, de personnage à personnage. Entre ces deux plans, le niveau d'information est inégal, le public en sachant parfois plus que tous les personnages, et toujours au moins autant que le mieux informé d'entre eux. De là proviennent la plupart des effets théâtraux, comme les quiproquos, les méprises, les surprises.

condition : c'est l'ensemble des traits purement sociaux du personnage : son *état* dans la hiérarchie sociale (prince, financier, médecin, domestique ou paysan), son *statut familial* (père, fils), lequel implique à la fois son *sexe* et son *âge*.

constellations (de personnages) : groupes de personnages formés par les relations entre eux qu'indique la liste figurant en tête d'une pièce : membres d'une même famille *(Tartuffe)*, habitants d'un même château *(Le Mariage de Figaro)*.

coquette (grande) : emploi• de la comédienne qui peut jouer les grands rôles de femme dans la comédie de caractères ou de mœurs (Elmire dans *Le Tartuffe*, Célimène dans *Le Misanthrope*, Araminte dans *Les Fausses confidences* de Marivaux, La Comtesse, dans *Le Mariage de Figaro* de Beaumarchais).

cosmos (cosmique) : la Nature, en tant qu'elle forme, selon les philosophes antiques (Aristote), un système clos, hiérarchisé, parfaitement ordonné, dont des lois invariables maintiennent l'équilibre et l'harmonie, et où chaque être a sa place et sa fonction.

crise : «choix», en grec; péripétie• majeure, au cours de laquelle le retournement de situation se produit non point par accident et surprise, mais du fait de la volonté du protagoniste qu'une situation «critique» conduit à faire un choix cardinal, infléchissant toute la suite de l'action. Ex. : le choix d'Orgon de faire épouser Tartuffe à Mariane, le choix du Cid de combattre le père de Chimène, etc.

dépit amoureux : titre d'une pièce de Molière, et nom commun d'une série de situations propres aux amoureux de comédie, qu'un malentendu conduit à se disputer et à rompre, jusqu'à ce qu'ils se réconcilient enfin (cf. *Le Tartuffe*, II, 4).

destinateur/destinataire : voir p. 169.

dévotion : attachement fervent et démonstratif à la religion et à ses pratiques, que miment hypocritement les faux dévots.

didascalie : tout ce qui dans un texte de théâtre n'est pas réplique : titres, liste des noms des personnages, indications de mise en scène ou de jeu.

directeur de conscience : cf. p. 160.

dramaturgique : se dit de l'art d'écrire pour le théâtre et d'en utiliser le cadre et les contraintes comme points d'appui pour préparer et produire des effets («dramatique» se dit de ce qui concerne «l'action»).

drame :
– l'action (grec *to drama*), dans une œuvre narrative quelconque, théâtrale ou non, comique ou tragique. Le «drame» se caractérise par un conflit entre des forces ou des intérêts antagonistes (cf. schéma actantiel•) ;
– nom d'un genre théâtral particulier.

effet : au théâtre, tout élément d'un dialogue susceptible de provoquer une réaction vive et instantanée (émotion, rire). Inséparable d'une situation, l'effet doit être préparé avant d'être produit, ce qui est tout un art. Exceptionnels dans la conversation, les «effets» doivent au contraire être concentrés au théâtre. Ils distancient la scène de la réalité, lui conférant sa séduction poétique.

emploi : série des rôles du répertoire présentant des caractères communs d'une pièce à l'autre, indépendamment des genres, et qui, de ce fait, conviennent au physique et à la voix d'un même acteur, indépendamment de son âge, comme à l'opéra : barbon, traître, suivante, jeune premier, coquette, ingénue... Voir *Le Mariage de Figaro*, coll. Classiques Hachette, 1991, p. 285.

énonciation : il faut distinguer ce qui est dit – *l'énoncé* – et les signes de la présence du locuteur (et des interlocuteurs) dans le discours – *l'énonciation*. L'énoncé est le contenu du *dit*, l'énonciation, la trace dans le discours de l'acte de *dire*. D'une bouche à l'autre, l'énonciation varie, l'énoncé reste invariable. Pour l'essentiel, les signes de l'énonciation – les *déictiques* – sont ceux que l'on doit transformer dans la transposition au discours indirect : certains temps comme le présent ou le futur, les marques des 1re et 2e personnes, certains démonstratifs, certains adverbes de temps et de lieu comme aujourd'hui, maintenant, ici, là...

espace scénique : tout ce qui, dans la disposition matérielle de la scène, peut faire sens pour le spectateur.

exposition : première partie d'une pièce de théâtre, l'exposition se distingue du «nœud•» et du dénouement. On y présente tout ce que le public doit savoir sur les caractères et les situations pour suivre une action qui a commencé sans lui. Dans la dramaturgie classique, l'exposition ne doit pas dépasser le premier acte, aucun personnage nouveau ne doit plus être introduit sur scène une fois qu'elle est achevée. Pose un problème particulier de vraisemblance : les personnages doivent avoir l'air de ne parler que pour eux, alors que l'auteur se sert de leur truchement pour informer le public. D'où le recours fréquent aux présupposés et à l'implicite.

farce : comédie médiévale, mettant traditionnellement en scène les motifs « gaulois » du cocuage et du trompeur-trompé, avec « le Mari », « la Femme », toujours rusée, et « le Galant ». Ex. : *La Farce de maître Pathelin, La Farce du Cuvier.*

généreux : de race et d'âme nobles, comme les héros de Corneille.

honnête, honnêteté : idéal mondain propre au XVIIe siècle, d'un homme policé, urbain et cultivé, « qui a des clartés de tout, mais ne se pique de rien ». Élégant, mais sans affectation, vertueux, mais sans dogmatisme ni ostentation, « l'honnête homme », version française du *gentleman,* est le contraire d'un « fâcheux », d'un « provincial », ou d'un « bourgeois ». Il incarne le triomphe du naturel sur l'affectation.

hypocrisie : défaut de l'hypocrite. Étymologiquement, le mot *hupocritès* désignait en grec « l'acteur », car il signifie proprement « qui (parle) sous le masque », allusion aux masques de terre cuite que portaient les comédiens de l'Antiquité. Tout acteur est donc par définition un « hypocrite ». L'hypocrisie est ainsi éminemment théâtrale, et mettre en scène un hypocrite conduit nécessairement à la comédie dans la comédie, au théâtre dans le théâtre.

imposteur, imposer : sous-titre de la pièce ; celui qui, par des contrefaçons et des manœuvres cherche à passer pour ce qu'il n'est pas, mais surtout « en impose » aux yeux du monde, afin d'usurper la place et le rôle d'autrui.

intrigue : succession ordonnée des événements de l'action jusqu'au dénouement.

isotopie : lieu commun :
– concept dans lequel le lecteur intègre une suite d'informations diverses que lui propose un texte afin de les percevoir comme homogènes et d'en comprendre la cohérence, en identifiant, par exemple, une scène d'enterrement, un portrait de coquette•, un tableau champêtre, etc. ;
– motif commun à toute une série de textes, qui permet au lecteur de construire le sens de ce qu'il découvre en référence à ce qu'il connaît (intertextualité). Il peut s'agir de « thèmes » (la comédie du monde, l'âge d'Or), de scénarios (le trompeur-trompé), de caractères (l'avare, le guerrier fanfaron, le valet fourbe...), de simples motifs comme le « soleil noir » des romantiques, etc.

lazzi : mot d'origine italienne, plaisanteries bouffonnes, propres au jeu des comédiens Italiens dans la *commedia dell'arte*•.

libertins, libertinage : au XVIIe siècle, libres penseurs, épicuriens et naturalistes comme Gassendi ou Molière, rationalistes comme Saint-Évremont. L'Église les réprouve, et les taxe, souvent à tort, d'athéisme. Au XVIIIe, grand seigneur débauché. Les libertins ont en commun d'opposer les préceptes de la Nature aux conventions de la morale établie. Marginaux au XVIIe siècle, ils préfigurent certaines tendances qui se développeront avec les Lumières.

maîtrise et seigneurie : attributs d'une propriété foncière, noble ou roturière, qui produit non seulement des revenus, mais ouvre encore droit à la perception de certaines redevances féodales. Tartuffe vise à obtenir la « maîtrise et seigneurie » de « céans », c'est-à-dire de la maison, de la femme, et de tous les biens d'Orgon, avec tous les privilèges afférents.

monomane : désignation habituelle de caractères typiques de la comédie moliéresque, qui sont la proie d'une obsession unique et exclusive, comme Harpagon, M. Jourdain, Arnolphe, Alceste, ou Orgon.

moralité : sens symbolique et ultime de toute fable, c'est-à-dire de toute narration, quel qu'en soit le genre.

motif : voir isotopie.

mouvement (dramaturgique) : ensemble de scènes liées par la présence d'un même personnage, la suspension de l'intérêt à une même question, ou comprises entre deux péripéties• dont la seconde inverse et annule l'effet de la première.

nœud : l'intrigue, l'action, à partir de l'exposition, et jusqu'au dénouement.

objet, opposant : (voir p. 169).

parasite : personnage typique de la comédie latine, le parasite est un protégé du maître de maison, dont il partage la table. Sa condition est intermédiaire entre celle des maîtres et des esclaves, dont il est tour à tour le complice ou le rival. Ex. : Térence, *Phormion*. C'est là le prototype de *Tartuffe*. Dans son *Parasite* (Grasset, 1980), Michel Serres n'hésite pas à réduire Tartuffe au simple parasitisme, la signification politique du personnage n'étant à ses yeux que prétexte à théâtre : parasite dans tous les sens du terme, Tartuffe s'impose à la table d'Orgon, meurt de la mort de celui dont il se gorge, et brouille les communications entre les membres d'une famille. Il «est tout, en toutes places. Il est frère du père, il est son héritier, il est le mari de la femme et l'amant de la fille, il est le propriétaire. Nommez tous les personnages, il s'est substitué à tous». M. Serres semble oublier que la mauvaise foi et la langue de bois parasitent aussi la bonne foi sur laquelle repose toute société (cf. Montaigne, p. 188).

péril : à l'unité «d'action» (une seule intrigue), Corneille, et ici Molière, ont parfois préféré la formule plus souple de l'unité de «péril» : le héros ne court qu'un seul danger, qui s'accroît, mais à travers des péripéties multiples, ou même plusieurs fils d'intrigue.

péripétie : retournement de situation inattendu,
- exclu de l'exposition ou du dénouement,
- qui ne provient pas de l'action des héros,
- qui modifie leur situation et change leur volonté,
- réversible, c'est-à-dire qu'un second événement inattendu peut annuler l'effet du premier et rétablir les volontés initiales. Seule la dernière péripétie est irréversible : c'est la catastrophe• (retournement), heureuse dans la comédie, malheureuse dans la tragédie.

précieux, préciosité : phénomène de mœurs, d'origine aristocratique, la préciosité s'est caractérisée, au XVIIe siècle, par un idéal moral et mondain. Ce fut une certaine façon de vivre, de penser, de parler. La préciosité cultivait une langue recherchée, professait une philosophie idéaliste proche du platonisme, méprisait tout ce qui est grossier et vulgaire, idéalisait la femme et se complaisait dans la galanterie, les raffinements du monde, de l'urbanité, et des divertissements de l'esprit. La préciosité a puissamment contribué au renouvellement des lettres et du goût. La France lui doit aussi bien la tragédie racinienne que son art de la conversation. La préciosité préfigure l'idéal de l'honnêteté•. Molière a été le porte-parole de la préciosité tout comme de l'honnêteté. Elmire présente le type même d'une précieuse, non ridicule. L'ironie de Molière n'a visé que les fausses précieuses, les bourgeoises ou provinciales qui voulaient paraître du bel air, bref, les «tartuffes» de la préciosité !

protagoniste : rôle principal.

Protée : divinité marine de la mythologie, qui avait la propriété de changer de forme à volonté. Thème fréquent de la poésie baroque, à laquelle il peut servir d'emblème.

quête : voir p. 169.

reconnaissance : dans la comédie comme dans la tragédie, l'action et ses péripéties sont le plus souvent alimentées par une méprise, une erreur de jugement du protagoniste, qu'on l'abuse par des mensonges ou des déguisements, qu'il se trompe lui-même sur les apparences•, ou qu'il soit égaré par ses passions ou la divinité. Vient toujours un moment où il doit reconnaître son erreur, soit par des signes, soit par une réflexion, soit par une information nouvelle. Et cette reconnaissance amène le dénouement : Phèdre, lors du retour de Thésée, où elle se rend compte qu'il était illusoire d'espérer concilier la vie et son amour incestueux. Orgon, enfin dessillé, comprend son aveuglement et «voit» Tartuffe tel qu'il est. Aristote a fait la théorie de la reconnaissance (*anagnôrisis*) dans sa *Poétique* (livres 11, 52 a, et 16, 54 b 19, 20, 55 a 3, 6, 8). C'est là un procédé fondamental de la dramaturgie, jouant sur les apparences• provoquant des « retournements », il touche à l'essence même du théâtre.

rôle : série des actions et des répliques d'un personnage au cours d'une même pièce. Ne pas confondre avec la fonction, qui est purement abstraite (voir schéma actantiel•), ni avec le personnage lui-même, qui peut apparaître dans plusieurs rôles, par exemple, chez Molière, le personnage de Sganarelle réapparaît dans plusieurs rôles, bourgeois dans *Sganarelle, l'École des maris*, et *l'Amour médecin*, amant de Dorimène dans *Le Mariage forcé*, valet dans *Dom Juan*, fagotier enfin et mari de Martine dans *Le Médecin malgré lui*).

science (d'un personnage) : contrairement au narrateur d'un roman, il est difficile à l'auteur de théâtre, dont le *discours* personnel est fondamentalement *absent* de la scène, d'adopter un « point de vue » particulier sur l'univers représenté, celui-ci n'apparaissant qu'à travers la vision des personnages. En revanche, aucun des personnages n'est « omniscient », chacun ne pouvant avoir des situations qu'un point de vue limité. Cette limitation détermine ce que l'on peut nommer la « science » qu'a chaque personnage de l'univers représenté. D'un personnage à l'autre, cette science est toujours inégale, celle du public excédant toujours en principe celle du personnage qui en sait le plus, ou lui étant tout au moins égale. De là naissent la plupart des péripéties et des effets, comme quiproquos ou surprises (voir duplicité de la communication théâtrale•, reconnaissance•).

seigneur : noble, roturier, ecclésiastique, ou même personne morale (par ex. : une congrégation), titulaire de droits féodaux. La « seigneurie », attachée à certaines propriétés foncières, est indépendante de la condition du propriétaire.

séquence : voir mouvement.

stichomythie : dialogue où les acteurs se répondent vers pour vers.

sujet (de la quête•) : voir p. 169.

tirade : réplique d'une grande longueur, développant sous la forme d'un discours continu une argumentation qui se rapporte à un thème unique. À l'origine, elle était destinée à faire valoir le talent déclamatoire de l'acteur et l'habileté rhétorique et poétique de l'écrivain. À partir du XVIIIe siècle, le théâtre, tendant au « naturel », secouera le joug de la tirade, qu'ont subi les théâtres humaniste et classique. *Le Tartuffe* en comporte plusieurs, de Dorine, Cléante, Orgon, Elmire ou Tartuffe. Celle de l'Exempt a été souvent coupée à la représentation, ce qui constitue l'un des contresens les plus graves que l'on puisse commettre dans cette pièce toute politique à laquelle ce passage fameux donne quasi seul sa véritable portée.

ton : manière de s'exprimer propre à un genre, qui impose le choix de certains thèmes et motifs•, mais aussi d'un certain registre de langue. L'esthétique littéraire classique, fort soucieuse de normativité, proscrivait le mélange des genres et imposait l'unité de ton. Pourtant, dans *Le Tartuffe*, qui est une pièce à l'esthétique à la fois classique et baroque•, Molière module souvent du registre de la farce aux intonations tragiques sans jamais rompre vraiment l'unité de ton.

type (typisation) : personnage représentatif d'une classe d'êtres dont il semble être le modèle ou le moule. Nés du mythe, de l'imagination populaire, ou des œuvres majeures de la littérature universelle, les types sont fortement stylisés et dotés de traits conventionnels comme l'avarice, l'espièglerie, la débrouillardise, etc. (typisation). Malgré cette simplification, ou plutôt grâce à elle, ils semblent vivre d'une vie propre, tels Ulysse, Sindbad le Marin, Renart, Panurge, Don Quichotte, Roméo, Harpagon, Tartuffe, Figaro, Gavroche ou Cyrano. Les personnages de Molière, d'une singularité et d'une vie exemplaires, sont souvent devenus des types. Tartuffe est sans doute parmi eux celui qui s'est le plus puissamment imprimé dans l'inconscient collectif. Son nom, comme celui du goupil du *Roman de Renart*, est devenu nom commun, symbole de l'universelle « tartufferie ».

Utilité(s) : emplois• de théâtre subalternes, mais non muets, à la différence des « figurants ».

Vraisemblances : pas d'arbitraire dans la conduite de l'action (ces effets doivent être préparés) ; accords des caractères avec les actions qu'on leur prête et les préjugés qu'on a d'eux : un valet doit être « bas », un fils tel que son père. Damis sera donc coléreux comme son père et sa grand-mère.

Bibliographie

Biographies

Sur la vie et l'œuvre de Molière :

R. Bray, *Molière, homme de théâtre,* Paris, Mercure de France, 1954, 2e éd., 1963.

R. Jasinski, *Molière,* Hatier, coll. « Connaissance des lettres », Paris, 1969.

Sur *Le Tartuffe*

J. Guicharnaud, *Molière, une aventure théâtrale,* Paris, Gallimard, « Bibliothèque des Idées », 1963 (magistral).

J. Schérer, *Structures du Tartuffe,* Paris, SEDES, 1966, 2e éd. 1974.

R. Horville, *« Le Tartuffe » de Molière,* Paris, Hachette, 1973.

G. Ferreyrolles, *Molière, Tartuffe,* coll. « Études littéraires », Paris, PUF, 1987 (clair, complet, concis, précis).

P. Gaillard, *Tartuffe,* coll. « Profil d'une œuvre », Paris, Hatier, 1978.

Réception de l'œuvre

J.-P. Collinet, *Lectures de Molière,* coll. « U2 », Paris, A. Colin, 1974.

Sur le théâtre en général

Pierre Voltz, *La Comédie,* Paris, A. Colin, « coll. U », 1964.

Michel Lioure, *Le Drame de Diderot à Ionesco,* Paris, A. Colin, « coll. U », 1963.

Marie-Claude Hubert, *Le Théâtre,* Paris, A. Colin, « Cursus », 1988.

J.-P. Ryngaert, *Introduction à l'analyse du Théâtre,* Paris, Bordas, 1991.

Sur l'époque

G. Mongrédien, *La Vie des comédiens au temps de Molière,* Paris, Hachette, 1982.

F. Bluche, *La Vie quotidienne au siècle de Louis XIV,* Paris, Hachette, 1984.

Filmographie, Discographie

Molière, ou la vie d'un honnête homme, A. Mnouchkine, 1978.

Tartuffe, film de Jean Meyer, qui joue le rôle d'Orgon avec Jean Parédès dans celui de Tartuffe, prod. Europe no 1.

Tartuffe, Bordas éd.

Dix ans avec le Tartuffe, par Roger Planchon ; ensemble audiovisuel comprenant 72 diapositives, un disque 33 tours 30 cm et un dossier réalisé, en collaboration, par le C.N.D.P., 29, rue d'Ulm, 75005, Paris et le Théâtre de Villeurbanne - 69100.

Crédits photographiques

p. 4 Gravure de Dagneau d'après une peinture de Sébastien Bourdon, Paris, bibl. des Arts décoratifs, Hachette. **p. 8** Frontispice de l'édition de 1669. Hachette. **p. 9** Titre de l'édition de 1669, Hachette. **p. 15** Hachette, BN. **p. 23** Louis XIV et sa famille (détail) en habits mythologiques, Versailles, Hachette, archives photographiques. **p. 59** © Agence de Presse Bernand. **p. 64** Vermeer, *Jeune Fille au turban* (détail), TALL/Sipa Icono. **p. 37** © Alain Sauvan/Enguerand. **p. 78** Roger Planchon dans le rôle de Tartuffe, mise en scène de Roger Planchon, Th. de la Porte Saint Martin (1977), © Marc Enguerand. **p. 88** © Agence de Presse Bernand. **p. 98** Gérard Depardieu (Tartuffe) et Évelyne Ailhand (Dorine), mise en scène de Jacques Lassalle, Théâtre national de Strasbourg (1984), © Brigitte Enguerand. **p. 100** © Agence de Presse Bernand. **p. 111** © Alain Sauvan/Enguerand. **p. 118** © Brigitte Enguerand. **p. 120** © Agostino Pacciani/Enguerand. **p. 123** © Lipnitzki-Viollet. **p. 126** © Agence de Presse Bernand. **p. 142** © Marc Enguerand. **p. 148** *Louis XIV en Apollon vainqueur du serpent Python, contemplé par l'Amour,* gouache de J. Werner, Versailles, © Giraudon. **p. 153** Le Tartuffe de Molière, gravure, BN, 1664, © Roger-Viollet. **p. 159** © Hachette. **p. 161** *Farceurs français et italiens* (détail), 1670, Musée de la Comédie Française, © Hachette. **p. 169** © Alain Sauvan/Enguerand. **p. 171** Gérard Depardieu (Tartuffe) et François Perier (Orgon), mise en scène de Jacques Lassalle, Théâtre de la Ville (1984), © Brigitte Enguerand. **p. 178** Décor de René Allio pour la mise en scène de Roger Planchon, Théâtre de l'Odéon (1964), © Photo Pic. **p. 180** *La famille Laffite* (détail), tableau de Hyacinthe Rigaud, Musée du Louvre, © Roger-Viollet. **p. 184** Claude Gillot, *Le tombeau de Maître André,* Musée du Louvre, © Lauros-Giraudon. **p. 188** Décor de René Allio, au Théâtre de France (1964), © Photo Pic. **p. 195** © Agostino Pacciani/Enguerand. **p. 199** François Perier (Orgon) et Gérard Depardieu (Tartuffe), mise en scène de Jacques Lassalle, Théâtre national de Strasbourg (1984), © PROD. **p. 204** © Marc Enguerand.

Imprimé en France, par l'imprimerie Hérissey à Évreux (Eure) - N° 105455
Dépôt légal : juillet 2007 - Collection n° 10 - Édition n° 03
16/9178/1